SKINNY BITCH

SKINNY BITCH

Una guía sensata y rigurosa dedicada
a mujeres inteligentes que quieren dejar de comer
basura y comenzar a verse espléndidas.

Rory Freedman y Kim Barnouin

Traducción de Mario Catelli

Título de la edición original: *Skinny Bitch*

Primera edición en esta colección: marzo, 2008

© Rory Freedman y Kim Barnouin, 2005
© de la traducción, Mario Catelli, 2008
© Running Press Book Publishers, 2005
© de la presente edición, 2008, Ediciones El Andén, S. L.
Avenida Diagonal 520, 4º1ª - 08006 Barcelona

Diseño de portada: Maria Taffera Lewis
Imagen de portada: Margarete Gockle
© Fotografía de las autoras: Tim VanOrden

Printed in Spain
ISBN: 978-84-96929-52-4
Depósito legal: B. 4.368-2008

Fotocomposición: Lozano Faisano, S. L.
Orient, 5 baixos
08904 L'Hospitalet de Llobregat (Barcelona)

Impreso por: LIBERDÚPLEX, S. L. U.
Ctra. BV 2249 Km 7,4. Polígono Torrentfondo
08791 Sant Llorenç d'Hortons (Barcelona)

BAE 9 2 9 5 2 4

Índice

AGRADECIMIENTOS 9

INTRODUCCIÓN 13

Capítulo 1. Déjalo 15

Capítulo 2. La verdad sobre los carbohidratos 23

Capítulo 3. El azúcar es el Diablo 27

Capítulo 4. La mortal, inmunda y nauseabunda
dieta carnívora 37

Capítulo 5. La catástrofe láctea 51

Capítulo 6. Tú eres lo que comes 59

Capítulo 7. Mitos y mentiras sobre las proteínas 73

Capítulo 8. Hacer caca 77

Capítulo 9. No seas tan confiada: los organismos
de control del gobierno no se preocupan por tu salud   81

Capítulo 10. No te dejes domesticar 101

Capítulo 11. A comer 121

Capítulo 12. Ten en cuenta 147

Capítulo 13. Usa la cabeza 153

Epílogo 159

Lecturas recomendadas 161

Bibliografía 165

Notas 179

Para Tony Robbins y el doctor Wayne Dyer, con amor y admiración. Es gracias a sus obras que este libro existe.

Y para todos los que persiguen la verdad para hacer de este mundo un lugar mejor donde vivir, ya que esto influye decisivamente en nuestras vidas.
Agradecemos y reconocemos el valor de lo que habéis dado, y continuáis dando, en nombre de lo que es correcto.

Namasté.

Agradecimientos

Nuestra enorme y eterna gratitud a Lyssie Lakatos, Tammy Lakatos-Shames, Talia Cohen, Laura Dail, Jennifer Kasius, Maria Taffera Lewis and Greg Jones por hacer de este libro una realidad. Nuestro agradecimiento y admiración al brillante trabajo de edición de Nancy Armstrong, así como a la excelente supervisión de Meri Freedman y la doctora Amy Joy Lanou. Gracias de corazón a nuestro extraordinario equipo: Sam Caggiula, Seta Bedrossian, Allison Binder y Scott Palmason, por orientarnos y dirigirnos. Por su extraordinaria y paciente ayuda, nuestro sincero reconocimiento a Matt Green, Bruce Friedrich, Holly Sternberg, Mark Gold, Kristina Johnson, Sara Chenoweth, Harold Brown, Ryan Zinn, Michele Simon, Talia Berman, Danielle Simon, Wayne Pacelle, Jay and Wendy Baxter, and Shaun Zaken. También nos han honrado con su generosa colaboración C. David Coates, Christine Hoza Farlow, D.C., y Tim VanOrden.

Rory:

Kim, mi cómplice en todo este asunto, no puedo imaginar mi vida y mi presente sin ti. Gracias por cambiar el curso de mi vida y por iluminarme con tu brillo.

Agradezco con verdadera devoción a Tracy Silverman, que me inició en este camino; a Lauren Silverman, que me inspiró y me ayudó a dar lo máximo; a Jesse Hildebrandt, por hacerme sentir capaz de hacerlo; y a mis amigos mágicos que hicieron este viaje junto a mí: Sue Foley, Todd y Lisa Adamek, Nora Ariffin, Emily Ashba, Dave Feeney, Fara Horowitz, Jill Iacuzzo, Jessica Jonas, Margaret Klinger, Denise Kunisch, Lisa Leder, Chris Lucia, Julie Lundberg, Kerri Meyers, Lori Morgen, Luke Orefice, Michelle Pappas, Andrea Pendas, Brian y M.C. Permenter, Jackie Poper, Randie Rolantz, Christine Santoro, Kim Snowden, Nora Stein, Louie and Christine Tibolla, Susan Weinberg, y a todos mis numerosos colegas y familia, que son demasiados para nombrarlos.

Para mis abuelos, Florence Freedman y Frances Levine, un agradecimiento especial por su empuje y confianza. Por su inacabable entusiasmo y empuje, agradezco a mi hermana y a mi cuñado, Lesley y Tim Bailey. Y más que a nadie, a mis padres, Rick y Meri Freedman—, a quienes les agradezco con todo el corazón su permanente apoyo y cariño.

Kim:

A mi extraordinaria amiga y compañera de esta aventura, Rory, ya que sin ti nada de esto hubiera pasado. Agradezco a Dios que me permita tener cada día el mismo sueño. Saltamos y la red apareció. Gracias por saltar conmigo.

Keesha Whitehurst Frederickson, me haces feliz al formar parte de mi vida. Gracias por tu amor y tus sonrisas, y por ser tan especial.

A todos los amigos que me honran con su presencia en el día a día, gracias.

Un millón de gracias a mis padres, Richard y Linda Robinson, que creyeron en mí y me apoyaron en los momentos buenos y también en los difíciles.

Para Jeri, Chrissy, Amanda, Melissa, Alex, y Elliot: ¡Os quiero!

Y por último, en un lugar de preferencia, a mi amor: mi esposo Stephane. No existen en el mundo palabras suficientes para expresar mi amor por ti. Te doy las gracias por tu paciencia sin límites, tu constante apoyo, tu amor y fe en mi trabajo. Me siento honrada por hacer el viaje de la vida contigo. *Je t'aime.*

Introducción

¿Estás harta de verte gorda?

Bien. Si no soportas mirarte al espejo un día más, es que estás preparada para estar flaca. Para rebajar de peso no necesitas un máster en Biología. Tampoco necesitas pasar hambre ni estar todo el día en el gimnasio. Solo es necesario que despiertes y uses la cabeza. Es así de simple. Lo prometemos. Nos han lavado la cabeza con falsas dietas, artículos de revistas, y nos han hecho olvidar que debemos pensar por nosotras mismas.

Skinny Bitch revela la verdad acerca de la comida, así podrás tomar decisiones meditadas e inteligentes. Estos conocimientos te darán el poder para volverte una flaca espléndida.

Esto no es una dieta, es una manera de vivir. Es una forma de disfrutar de la comida, un camino para sentirte sana, limpia, enérgica y pura. Es tiempo de cuidar tu cuerpo y tu mente. Es tiempo de pasear tu trasero por la calle, orgullosa y ufana, como si fueras un personaje de los Ángeles de Charlie. Y si quieres, puedes ponerte la música de fondo que mejor te haga sentir. Es tiempo de pasear tu figura como si fueras la reina de todos los reinos. Es hora de ser una *Skinny Bitch*.

CAPÍTULO 1

Déjalo

U sa la cabeza. Si quieres adelgazar debes estar más sana. Lo primero que necesitas es quitarte de encima tus peores vicios. ¡Y no me mires así! No puedes seguir comiendo lo mismo y creer que así bajarás de peso. No puedes seguir fumando. Y no intentes poner esas tristes excusas tipo: «Pero si dejo de fumar subiré de peso». Nadie quiere escucharlas. Los cigarrillos son para los perdedores. Desde 1989 han perdido toda su aura de sofisticación. No solo trastorna el equilibrio químico de tu cuerpo, además mata tus papilas gustativas. No es bueno que comas basura. Basta de fumar. Déjalo.

Por supuesto, es más fácil charlar con alguien después de haber bebido un par de copas. Pero estar gorda como una vaca te genera dificultades, estés sobria o bebida. Y el hábito de beber equivale a tener el síndrome de la gorda patológica. La cerveza es para las fraternidades que festejan su entrada a la universidad, no para las *flacas espléndidas*. La cerveza engorda, hincha y fija las grasas. Ponte la mano en el corazón y confiesa: ¿Qué sientes cuando ves a todos esos adolescentes, o adolescentes tardíos, atiborrándose a cervezas como si fuera el fin del mundo? Cerveza, puaj. El alcohol no es nada bueno. Eleva el nivel de ácido clorhídrico de tu estómago, causando estragos en el proceso digestivo. Si sufres de una digestión pesada, tu cuerpo no procesará de forma correcta los alimentos que ingieres. ¿La consecuencia? Te hinchas y te conviertes en una bola de grasa. Y no solo eso. Ciertas bebidas alcohólicas, y los vinos no orgánicos, contienen uretano, un producto químico cancerígeno.[1] Por añadidura, un par de cervezas con alcohol elevan tu nivel de azúcar en sangre, lo que es pésimo para tu organismo. Y no te engañes a ti misma: cuando estás deprimida o disgustada, te pasarías el día comiendo basura. Pero si quieres beber algo, que sean vinos tintos orgánicos, producidos sin sulfitos.

Los sulfitos son aditivos utilizados en vinos y alimentos para prolongar su vida y detener el crecimiento bacteriano. El asma y las reacciones alérgicas pueden ser desencadenados por los sulfitos. Hasta un vino orgánico puede llegar a contener sulfitos. Lee detenidamente las etiquetas. En ellas debería decir «Sin sulfitos añadidos» o «SSA». Las Bodegas Frey, de California, hacen vinos orgánicos sin sulfitos añadidos.

Este elixir mágico (el vino sin sulfitos añadidos) es rico en antioxidantes que previenen la aparición del cáncer, reducen el riesgo de infarto, ayudan a limpiar la sangre, y contienen flavonoides, que disminuyen el nivel de colesterol. Sí. El vino tinto orgánico es bueno para la salud. Esto no quiere decir que tengas que beber una botella al día. El consumo excesivo de alcohol causa infertilidad, cáncer, enfermedades infecciosas y cardiovasculares, deterioro de la corteza cerebral y otras alteraciones en el funcionamiento de las células cerebrales. Si necesitas ayuda para dejar el alcohol, no dudes en ponerte en contacto con la sede de Alcohólicos Anónimos más cercana a tu ciudad, o llamando al (212) 870-3400, para acudir a un encuentro cerca de tu ciudad, o visita la página web www.alcoholics anonymus.org.

Preparar, chicas: las bebidas gaseosas son Satanás en forma de líquido. Son el demonio en persona. Son basura. En las bebidas gaseosas no hay nada que le sirva a tu cuerpo. Para empezar, los refrescos tienen altos niveles de fósforo, cafeína y sodio, que provocan una acentuada pérdida de calcio en nuestro organismo. Y esto significa la pérdida de solidez en los huesos y la aparición de la osteoporosis. ¡Y ten por seguro que el azúcar de las bebidas embotelladas no te ayudarán a adelgazar! Pero no, no te creas que estás fuera de peligro si bebes refrescos *diet*, ligth o sin azúcar. Se trata de una basura aún peor.

El aspartamo, un edulcorante presente en multitud de bebidas y alimentos de los calificados como diet, ha sido identificado como causante de terribles enfermedades, como artritis, deformidades en el feto, fibromialgia, Alzheimer, lupus, esclerosis múltiple y diabetes.[2] Cuando el alcohol etílico (uno de los componentes del aspartamo) entra en tu cuerpo, se convierte en formaldehído. El formaldehído es tóxico y cancerígeno.[3] Los laboratorios lo utilizan como desinfectante y como conservante. Pero ellos no se lo beben. Quizá tú tengas un culito respingón porque conservas tus células grasas bebiendo refrescos diet. La *Food and Drug Administration* (FDA, Administración de Drogas y Alimentos) ha recibido más quejas del aspartamo que de ningún otro ingrediente hasta la fecha.[4] ¿Quieres más malas noticias? Cuando el aspartamo entra en contacto con los carbonatos hace que descienda la producción de serotonina de tu cerebro.[5] Un buen nivel de serotonina es imprescindible para estar de buen humor y equilibrados. Pero la ingestión de bebidas gaseosas te vuelve gorda, enferma y triste.

A menos que seas marciana, alguna vez habrás escuchado eso de los «ocho vasos de agua al día». Si te bebes 1 litro de Satanás líquido al día, difícilmente puedas beberte los necesarios

3 litros de agua al día. El agua es esencial para mantener tu organismo limpio y desintoxicado. El agua arrastra (literalmente) fuera de tu cuerpo todas las basuras y toxinas que tu cuerpo almacenó gracias a tu espantosa dieta. Quizá estés gorda porque no vas de cuerpo con frecuencia. Beber grandes cantidades de agua puede ayudarte en el proceso de eliminación. Si el sabor del agua te repugna, te molesta o no te gusta, puedes darle sabor añadiéndoles unas rodajas de lima o de limón o, si te hace sentir mejor, con un rodaja de naranja y una fresa. Pero dile adiós a las bebidas gaseosas y dale la bienvenida a un dulce trasero.

«No me hables hasta que no me haya tomado mi primer café de la mañana.» Mmm... ¡patético! El café es para débiles. Piensa por un momento hasta qué punto aceptamos que *es necesario* un café para despertarse. Tú no *necesitas* nada para levantarte. Si no puedes espabilarte sin él, es porque eres una adicta a la cafeína, porque te faltan horas de sueño o por algún problema de salud. La falta de la dosis diaria puede llegar a parecer el fin del mundo, sobre todo si tú crees que el Starbucks café es un buen lugar para encontrar hombres. Pero, nena, no es heroína y puedes aprender a vivir sin él. La cafeína puede causar jaquecas, problemas digestivos, irritación del estómago y de la vejiga, úlcera péptica, diarrea, constipados, fatiga, ansiedad y depresión. La cafeína afecta todos los sistemas orgánicos, desde el sistema nervioso hasta la piel. La cafeína baja drásticamente el nivel de hormonas, inhibe importantes sistemas de enzimas que son los responsables de atender la «higiene» del organismo, e irrita los terminales nerviosos.[6] Una investigación también relaciona la cafeína con una especial propensión a la diabetes.[7] Pero no corráis a consumir descafeinados. El café, tanto el normal como el descafeinado, es enormemente ácido.[8] Los alimentos ácidos hacen que tu cuerpo produzca células grasas, mientras baja el nivel de acidez natural de los órganos.[9] Pero, por favor, no debéis asociar estos ácidos a los que contienen los cítricos y otras frutas (trataremos esto en profundidad en la página 35). En definitiva, el café equivale a producir células grasas. Y además hace que tu aliento huela asqueroso. Por otro lado, las semillas de café están tratadas con pesticidas químicos. Uno de ellos, un insecticida llamado D-D-7, ha sido prohibido en Estados Unidos pero se sigue utilizando en las plantaciones de los principales países productores de donde se importa la mayor parte del café que consumimos.[10] Así es: cada mañana, empiezas tu día con una dosis de veneno. Y si le añades azúcar o cualquier edulcorante artificial, y un poco de leche o nata, conseguirás ser gorda para siempre. Si bebes una taza de café de vez en cuando, perfecto. Pero si lo necesitas, déjalo.

La mejor manera de empezar el día es con una taza de té de hierbas (orgánico, por supuesto). El té verde descafeinado es como un remedio milagroso. Es antioxidante y antibacteriano y por eso se lo utiliza para prevenir y combatir el cáncer, las alergias y la baja presión sanguínea. Si vas a una cafetería, pide una taza de té verde descafeinado en lugar de un café. ¿Hechas de menos tu dosis de cafeína? Para un arranque instantáneo es mejor beber un zumo de frutas recién exprimido. Una vez que hayas vencido tu adicción a la cafeína, te bastará con un zumo de frutas frescas.

La comida basura nunca desaparecerá. Cada día que pasa se vuelve más llamativa, con aromas creados en laboratorios, sabores artificiales, colorantes alimentarios químicos, conservantes altamente tóxicos y aceites hidrogenados que conducen al infarto. Sabemos que todo eso es muy difícil de resistir, pero nadie ha adelgazado comiendo comida basura. Usa la cabeza. Las golosinas, las patatas fritas de bolsa y los helados industriales saben a gloria, es cierto. Pero se quedan en tus caderas y son muy difíciles de desalojar. Estos alimentos no solo están elaborados con grasas saturadas, azúcares, aceites hidrogenados, calorías y colesterol, sino que además contienen residuos químicos como para ponerte los pelos de punta. ¿Has oído hablar del hidroxitolueno butilado (BHT)? Hay mucha gente que no los conoce, pero estos conservantes químicos están presentes en la comida o en los envases.[11] La FDA no exige a los fabricantes que aclaren la presencia de estos venenos si se utilizaron durante el proceso de envasado, aunque éstos hayan estado en contacto con la comida que tú comerás. Pues tu comida basura tendrá una vida útil de veintidós años y es probable que viva más que la grasa de tu culo. Lo siento, nena. Pero antes de que decidas que eres la más lista porque solo comes *snacks* libres de grasas, párate un momento a pensar. Cuando veas las palabras «libre de grasas» o «bajo en grasas», piensa en la expresión «alud de basura química». Lee los ingredientes que contienen. ¿Crees de verdad que el azúcar industrial, los aceites hidrogenados, los huevos o la leche no te harán engordar? Además, el azúcar, como el café, crean un entorno ácido en tu cuerpo.[12] Te bastará con saber que las comidas ácidas producen células grasas. La fórmula es sencilla: azúcar=grasa. Si apuntas tus cañones a una tienda de comida sana encontrarás estantes y más estantes llenos de «comida basura aceptable». Basura «libre de remordimientos» que sabe muy bien, pero que hará que te muevas rodando por tu sala de estar. No estamos diciendo que debas dejar de comer comida basura para adelgazar. Lo único que debes hacer es cambiar tu vieja comida basura por una nueva comida basura. En el capítulo 11 damos una lista de la «comida basura aceptable» para ayudarte a funcionar mejor.

¿Eres como un bote de medicamentos? ¿Vas corriendo a ver a tu médico ante cada resfriado, tos o dolor? Para. Nuestro cuerpo, cuando lo cuidamos, funciona como una máquina perfecta. Nuestro cerebro se encarga de decirnos cuándo algo no nos conviene, causándonos dolor o sensación de incomodidad o disgusto. Cuando tomamos medicamentos para evitar estas «enfermedades», estamos atacando los síntomas pero no las causas que las provocan. No resolvemos el problema. Cada vez que tomamos un medicamento de esa forma, interferimos con la capacidad natural del cuerpo para curarse. No hacemos más que sofocar los inteligentes avisos de nuestro organismo, a través de los cuales nos alerta sobre la presencia de un problema, enviando señales erróneas a nuestro cerebro.

Si tienes una jaqueca, quizá sea cansancio, deshidratación o alguna alergia alimentaria menor. Muchas veces tu cuerpo tiene reacciones adversas ante la ingesta de algunas de esas comidas poco saludables que comes. Tomar dos aspirinas no es la respuesta. Si tu nariz es como un grifo abierto, es porque tu cuerpo está intentando deshacerse de algo nocivo a través de tus mocos. Pero tú, reina del drama, tomas medicinas para evitar la incomodidad que te provocan tus fluidos. Pero ahora debes mandar a la mierda todo eso. La medicina funciona a base de químicos. No olvides que la FDA es la que las prueba y la que avala su uso. Incluso avala el uso del aspartamo. Usa la cabeza. ¿Crees que atiborrar tu cuerpo de químicos es bueno para ti? Todos los medicamentos vienen con una larga lista de efectos secundarios. Esto quiere decir que un medicamento puede llegar a hacerte sentir mejor en el momento de ingerirlo, pero puede acarrearte otros problemas. Tienes que abrazar y comprender las señales que te da tu cuerpo. Cada mes que pasas los dolores de la menstruación, sin medicación alguna, estás preparándote para el dolor físico que provoca el parto. Vívelo. Deja de interferir con la Madre Naturaleza.

Pero si estás siguiendo un tratamiento prescrito, necesitas consultar con un especialista antes de suspenderlo.

Renuncia a la idea de que puedes ser sedentaria y empieza a perder peso. Necesitas ejercicio, perezosa. Alimentarte de forma correcta mejora notablemente tu salud, tu cuerpo y casi todos los aspectos de tu vida. Pero debes comenzar a moverte. Cualquiera que tenga la cabeza mínimamente amueblada puede hacerlo: la combinación de una buena dieta con ejercicio físico puede hacerte bajar de peso más rápido de lo que crees. No necesitas ir siete días a la semana al gimnasio. Es más, no debes hacerlo, porque el exceso de ejercicio físico puede hacerte daño. Podrías deshidratarte, sufrir artrosis o artritis, osteoporosis, calambres, contracturas, desgarros y hasta fracturas. El exceso de ejercicio también puede causar una disminución excesiva de la grasa corporal, así como causar la interrupción del ciclo menstrual y acarrear problemas reproductivos.[13] Tú quieres ser una *flaca espléndida*, no una flaca desarmada. Una pauta de veinte minutos al día de aeróbic, bicicleta fija, cinta, natación o cualquier ejercicio de los que abarca la gimnasia cardiovascular, cinco días a la semana, es un buen punto de partida. Después de un par de semanas, empezarás a notar los resultados. Según tu estado físico, puedes intensificar tu trabajo o añadir otros ejercicios más exigentes a tu rutina. Trata de trabajar por la mañana temprano, si es posible. Cuando realizamos el ejercicio, nuestro elevado ritmo cardíaco y la respiración profunda nos prepara para comenzar a quemar grasas, tal y como ocurrirá hasta el final del día. Más allá del tiempo que te consuma, enseguida te harás adicta al ejercicio. Cuando estás desarrollando una actividad física, tu cerebro genera endorfinas y opiáceos. El ejercicio quema grasas y calorías, activa la circulación, regula el tracto digestivo, fortalece los músculos, da resistencia mental y física, y elimina toxinas gracias a la transpiración.[14] Además, el trabajo físico ayuda a mantener bajo control nuestro apetito desmedido y nuestros deseos de «comida basura». Decídete. Éste es el verdadero triunfo.

CAPÍTULO 2

La verdad sobre los carbohidratos

Nunca hasta ahora, en Estados Unidos, se había generado una línea dietética tan engañosa y ridícula como el *low carb* o «bajo en carbohidratos».

Cada restaurante, tienda de alimentos y establecimientos de *fast-food* ofrece productos diseñados para esta estúpida tendencia. Hasta las compañías embotelladoras de cerveza y de bebidas gaseosas gastaron millones de dólares en desarrollar y promocionar bebidas *diet*. Todos se subieron a la moto, esperando capitalizar la tendencia a discriminar entre lo que es saludable y lo que no lo es.

Los carbohidratos están formados por carbono, hidrógeno y oxígeno, elementos vitales para proveer de energía a nuestros cerebros y nuestros cuerpos. Sin ellos, seríamos como zombis en estado de coma. Cuando ingerimos alimentos, nuestro cuerpo convierte los carbohidratos en glucosa para obtener energía inmediata y el sobrante se almacena en forma de glucógeno como reserva.

Pero no todos los carbohidratos se crean de la misma manera. Hay dos tipos: los carbohidratos simples y los compuestos. Los simples son tan absorbentes y alimenticios como el papel higiénico. Están hechos básicamente de azúcar, que se absorbe muy rápido, casi instantáneamente, causando «subidones» de azúcar y los consiguientes «bajones». Y esto hace que en poco tiempo volvamos a sentir apetito, y comamos más. Por otra parte, están los carbohidratos compuestos, formados por almidón y fibra, y se metabolizan gradualmente, convirtiéndose en una fuente de energía bastante estable. Se rompen y liberan su energía con bastante facilidad, por lo que nos hacen sentir plenos y satisfechos. Los odiosos carbohidratos simples están en la harina blanca, la pasta común, el arroz blanco y el azúcar blanca. Éstas son las «ovejas negras» que le dan mala fama a los carbohidratos. Por alguna aviesa razón, los distribuidores de alimentos han decidido que no querremos sus productos a menos que sean blancos y suaves. ¿Y qué hacen para ello? Toman el grano natural, como el arroz integral, lo calientan, eliminan todos sus nutrientes, vitaminas y minerales, para que así cambien su textura y su color. Este proceso de refinado compromete la integridad nutricional del alimento. Todo por las apariencias. Muchas compañías, a posteriori, añaden estos nutrientes al producto ya refinado y le colocan la etiqueta que lo identifica como «enriquecido» o «fortalecido». Pero no es posible trastornar de esa manera a la Madre Naturaleza. Nuestros cuerpos no pueden absorber los «minerales añadidos» con la misma facilidad.[15] Desgraciadamente, muchos cereales, pastas, arroces, galletas, panes, *muffins*, pasteles o *bagels*, están bastardizados de esta manera. Presta atención y fíjate cómo te sientes después de ingerir estos alimentos. Posiblemente notarás oscilaciones del humor, desde moderadas a severas, y oleadas de energía que aparecen y desaparecen.

No temas. La Madre Naturaleza es generosa y nos ofrece muchos carbohidratos compuestos que te harán olvidar miedos y malestares: gloria a las patatas, ñames, batatas, a la cebada, maíz, arroz integral, fríjoles, garbanzos, lentejas, quínoa, a las harinas y granos integrales, la pasta hecha de arroz integral, y a las verduras y hortalizas. Marcas como Bionaturae, Ancient Harvest, Eddie's Spaghetti, Lundberg Farms, Westbrae, Pastarisso y De Boles Organic, fabrican pastas que contienen carbohidratos «buenos», es decir, carbohidratos compuestos.

Deléitate con los deliciosos panes, panecillos y galletas hechos con harina integral de trigo o de otros cereales. La ventaja es que los granos de cereales integrales no han sido blanqueados, ni pelados, ni refinados, y por eso mantienen intactos los nutrientes del grano original.

Y no os olvidéis de los carbohidratos compuestos de las frutas y las verduras, que proveen a nuestro cuerpo de vitaminas, minerales y fibra.

Si. Has leído bien. ¡Fruta! Debes comer fruta. Lo más irritante respecto a la moda de los alimentos *diet*, o bajos en carbohidratos, es que parece la forma en que se pretende resistir a la ingesta de fruta. Y la fruta es, muy probablemente, el mejor alimento que existe. Una de las cosas que la hace única es que apenas necesita trabajo para ser digerida. Rica en enzimas, nuestro cuerpo absorbe sus nutrientes con toda facilidad, aportando carbohidratos, fibra, vitaminas, minerales, ácidos grasos, taninos anticancerígenos y flavonoides o, lo que es lo mismo, antioxidantes. Como están compuestas básicamente por agua, las frutas hidratan el cuerpo y ayudan a su limpieza, a la eliminación de tóxicos y a la de residuos.

Harvey y Marilyn Diamond, autores del *best seller Fit for Life*, descubrieron que la fruta se incorpora mejor a nuestro organismo si la comemos sola, ya que se digiere mucho más fácil y rápidamente. Cuando comemos fruta junto a otros alimentos, no podemos digerirla tan rápidamente y por eso se descompone y fermenta en el estómago. Esto causa eructos, gases y acidez estomacal. Para que esto no suceda, los Diamond recomiendan comer fruta con el estómago vacío, como primera comida del día, y esperar treinta minutos antes de comer otra cosa. Sabemos que esto puede ser difícil para muchas de vosotras, y está bien aceptar que[16] no estáis preparadas para comenzar con esta costumbre, al menos por ahora. Pero es el mejor objetivo para proponerse.

Ahora grita a los cuatro vientos, hasta que el último de tus burros y desinformados amigos lo hayan oído: ¡PODÉIS COMER PAN Y FRUTAS!

CAPÍTULO 3

El azúcar es el Diablo

Sabemos lo difícil que resulta dejar de consumir azúcar. Pero hasta que no arranques a ese demonio de tu dieta, nunca serás una mujer *Skinny Bitch*. Echa un minucioso vistazo a tu cocina y descubrirás todos los lugares donde el demonio acecha. Probablemente haya lugares en los que nunca hubieras esperado encontrártelo. Lee cuidadosamente los ingredientes de los que están compuestos los cereales de tu desayuno, el pan, las galletas, los snacks y tentempiés, todos. El azúcar es como el *crack*, y los fabricantes de comidas saben que si añaden azúcar a sus productos, los consumidores vendrán a por más.

Pero ¿qué es esta entidad maligna? En su forma más simple, es el zumo obtenido de la caña de azúcar. Es una planta, y por eso parece buena, beneficiosa, ¿no es cierto? Y lo es, siempre que se consuma de forma moderada y en su forma más simple y menos elaborada. Pero todas las enzimas, vitaminas y minerales se destruyen durante el proceso de refinado.[17] En primer lugar, se aplasta la caña con el objeto de extraer su jugo. Este líquido se hierve hasta que queda espeso y luego, cristalizado. Después se centrifuga, para extraer el jarabe. Tras toda esta operación, el azúcar es lavada y filtrada para extraerle todos los

27

materiales que no sean azúcar y para volverla de color blanco. En general, los filtros para refinar el azúcar están hechos con huesos carbonizados de animales. Un asco. Para terminar, el azúcar es secada y empaquetada. Como podemos ver, el azúcar refinada ha perdido todo su valor nutricional. Habitualmente se encuentra en alimentos que contienen altas concentraciones de grasa, de grasas saturadas, aceites hidrogenados y calorías artificiales. El azúcar refinada, un carbohidrato simple, está asociada a la aparición de hipoglucemia, obesidad, crecimiento descontrolado, a un sistema inmunitario débil, hiperactividad, déficit de atención, al engrandecimiento del hígado y los riñones, al aumento de ácido úrico en la sangre, a los desórdenes mentales y emocionales, caries y otros problemas dentales, y al desequilibrio de los neurotransmisores de nuestro cerebro.[18] Y encima, el azúcar engorda. El exceso de azúcar consumida se acumula en el hígado en forma de glucógeno. Pero cuando el hígado está saturado, el exceso crece y regresa al flujo sanguíneo en forma de ácidos grasos.[19] ¿En dónde acaba encontrando lugar todo esto? En las caderas, estómago, muslos, y por supuesto, en el trasero.

En Estados Unidos la industria del azúcar es enormemente poderosa. Es el primer país productor y exportador de alimentos azucarados del mundo. Y no tienen suficiente con envenenar a sus propios ciudadanos. Por unos cuartos más nos encanta joder al resto del mundo.

El sirope de maíz, un endulzante alimentario producido mediante un proceso químico y con alto contenido en fructosa, es otro de los venenos que podemos encontrar en infinidad de alimentos. Los fabricantes adoran su versatilidad y lo ponen en casi todo: zumos, bebidas gaseosas, cervezas, yogur, barritas energéticas, galletas, golosinas, panes y alimentos congelados. Es más elaborado y más dulce que el azúcar, pero es el gran aliado de los fabricantes porque es muy barato de producir. Como el azúcar refinada, tiene unos demoledores efectos sobre nuestro nivel de azúcar en sangre. Según estudios llevados a cabo por el *American Journal Of Clinical Nutrition*, la diabetes y la obesidad están directamente relacionadas con el consumo de azúcar refinada y de sirope de maíz con alto contenido en fructosa.[20] No estamos diciendo que haya que dejar de comer galletas hasta el fin de nuestros días.

Sinceramente, no queremos comenzar un motín. Sugerimos, simplemente, que sustituyas el azúcar refinada por otros azúcares más saludables. Y el que está en primer lugar como alternativa es el néctar de agave o miel de agave. Este endulzante de alto poder nutricional puede ser muy beneficioso para tu salud. No ha pasado por ningún proceso químico de elaboración y la versión sin refinar (totalmente virgen) contiene importantes vitaminas y minerales. Como se incorpora lentamente a la sangre, no tiene un impacto significativo en los niveles de azúcar en sangre. Se puede utilizar en lugar del azúcar en la producción de cualquier producto o preparado.

La stevia *(Stevia Rebaudiana Bertoni)* es un endulzante natural alternativo, obtenido a partir de un arbusto originario de Paraguay y Brasil. Los japoneses han utilizado este excelente endulzante durante décadas, y en Sudamérica durante siglos. De hecho, es utilizada por cientos de millones de personas en todo el mundo para equilibrar los niveles de azúcar en sangre, reduce el «síndrome de abstinencia» causado por el azúcar y ayuda al proceso de digestión. Además, es conocida por sus propiedades antimicrobianas (inhibe el nacimiento de las bacterias). En la actualidad, en Estados Unidos, es un ilustre desconocido. Este endulzante a base de hierbas naturales no contiene calorías, ni índices de glucemia, lo que quiere decir que no altera el nivel de azúcar en sangre, por lo que es muy recomendado para diabéticos. Pero por razones incomprensibles para las especies inteligentes de diferentes lugares del planeta, la FDA no aprueba el uso de stevia en la fabricación de alimentos.[21] Quizá es porque comparten cama con la industria azucarera.

Otros buenos sustitutos para el azúcar refinada son el zumo de caña evaporado, el sucanato, sirope de arroz integral, jarabe de malta de cebada, la rapadura, el azúcar turbinado (cristales grandes de azúcar de caña), el azúcar de remolacha, el azúcar de dátiles, el sirope de arce, la melaza y la melaza «residual» o «final». Algunas compañías añaden grasa de cerdo a la melaza residual y al sirope de arce, para reducir la espuma que se crea al disolverla en agua, por lo que es importante cerciorarse de que lo que estás comprando es un producto orgánico ciento por ciento puro. Esperamos que no te vuelvas loca cuando leas esto, pero todos estos endulzantes naturales tienen uno o más de los siguientes componentes beneficiosos para la salud: enzimas, calcio, hierro, potasio, proteínas, vitamina B, magnesio, cromo, fibra y ácido fólico. Algunas incluso contienen carbohidratos compuestos.[22] Pero con esto no queremos decir que sea muy recomendable comerse dos o tres bizcochos al día. Solo decimos que puedes prepararte un pastel y disfrutarlo. Solo debes usar la cabeza para elegir los endulzantes que utilices.

Un redoble de tambor, por favor, para algunos de nuestros dulces favoritos: las galletas veganas Uncle Eddie's, Tropical Source o las barras de chocolate Terra Nostra, las Oreos rellenas de Back to Nature o de Country Choice, Fig Newman biológico, y todas las galletas de Sun Flour Baking Co., además de Alternative Baking Co.

Ahora que tienes frescas las buenas noticias sobre los endulzantes naturales, es el momento de las malas noticias. Ya sabemos que el azúcar refinado y el sirope de maíz son pésimos para tu organismo. Y en el caso de que durante la lectura del capítulo 1 se te haya ido la cabeza a otra parte, te repetimos: ¡DEJA DE COMER Y BEBER PRODUCTOS QUE CONTENGAN ASPARTAMO! Está presente en las gaseosas *diet*, *ligth* o «bajas en calorías», y cualquier producto que contenga NutraSweet o Equal.

Cuando el aspartamo fue presentado ante la FDA para evaluar su autorización de uso, fue rechazado ocho veces. G. D. Searle, descubridor del aspartamo, consiguió la aprobación en 1973. Por supuesto, no tuvo en cuenta los informes presentados por el neurólogo e investigador doctor John Olney y por la investigadora Anne Reynolds, que habían sido contratados por el propio Searle, donde alertaban de la peligrosidad del aspartamo. La doctora Martha Freeman, investigadora de un departamento de la FDA llamado *Division of Metabolic and Endocrine Products* (División de Productos Endocrinos y Metabólicos), declaró: «La información aportada para la evaluación científica de un producto y de la seguridad de su utilización es insuficiente». Freeman recomendaba que, hasta el momento en que se probara la seguridad del aspartamo, no se debería autorizar su comercialización. Sin embargo, por alguna razón, sus recomendaciones no fueron tenidas en cuenta. En 1974, Searle consiguió que se aprobara la utilización de aspartamo en alimentos secos, pero esto no bastó para que todo fuera sobre ruedas desde entonces. En 1975, la FDA impulsó un proceso para revisar los métodos de prueba de Searle. El encargado de llevar acabo esta tarea, Phillip Brodsky declaró que «no veía nada malo en lo métodos de prueba de Searle y afirmó que los resultados que probaban la inseguridad del aspartamo podían haber sido manipulados». Antes de que se autorizara la utilización del aspartamo en los alimentos secos, el doctor Onley y el representante legal de los consumidores, llamado Jim Turner, presentaron un recurso contra su aprobación.[23]

En 1977, la FDA solicitó a la oficina del fiscal de Estados Unidos, la constitución de un gran jurado para que procedieran contra Searle por «alterar y falsificar a sabiendas las conclusiones del estudio y por la ocultación de hechos materiales y evidencias en cuanto a la seguridad del uso del aspartamo». Poco después, el fiscal general de Estados Unidos abrió un proceso de investigación contra Searle, durante el cual el fiscal recibió una suculenta oferta de trabajo por parte del bufete de abogados que representaba a Searle.[24] A finales de ese mismo año, renunció a su cargo de fiscal y detuvo el proceso. Esto provocó la redacción del estatuto que limita los cargos «renunciables», y la investigación fue dejada de lado. Ah, nos olvidábamos, el fiscal aceptó el trabajo en el bufete de abogados de Searle. Increíble pero real.

En 1980, un informe del *Public Board of Inquire* (Departamento de Información Pública), creado por la FDA, determinó que el uso del aspartamo no podía ser aprobado. El informe decía: «no se han presentado pruebas razonables de que el aspartamo sea seguro para su consumo como aditivo alimentario». En 1981, el nuevo comisionado de la FDA, Arthur Hulla Hayes, fue destituido. Y a pesar de que tres de los seis investigadores estaban en contra de la aprobación, Hayes decidió invalidar el informe del equipo de científicos e incorporó el aspartamo a un número limitado de alimentos secos. En 1983 fue aprobado su uso en bebidas, a pesar de que la oposición de la *National Soft Drink Association* (Asociación Nacional de Refrescos) pidiera a la FDA que se retrasara su aprobación, al menos hasta que se realizaran algunas pruebas más. Ese mismo año, Hayes dejaba la FDA, acusado de proceder de forma incorrecta. El Departamento Interno de Salud y Servicios Humanos investigó a Hayes por la supuesta aceptación de sobornos de compañías supervisadas por la FDA. Poco después pasó a desempeñarse como consultor de una empresa de relaciones públicas, propiedad de Searle. Interesante, ¿no? Finalmente, la FDA instó al Congreso de Estados Unidos a procesar a Searle por entregar al gobierno resultados incompletos o falsos de los test sobre el aspartamo.[25] Sin embargo, los dos fiscales encargados del caso decidieron abortar el proceso. Poco después, los dos trabajaban en el despacho de abogados que representaba a Searle. Fascinante. A pesar de reconocer la aparición de 22 síntomas diferentes, desencadenados a causa del consumo de aspartamo, en 1996 la FDA aprobó su uso, sin ningún tipo de restricciones.[26] ¡Brillante!

Tanta gente ha visto quebrantada su salud a causa del consumo de aspartamo que se han creado grupos de apoyo y defensa de las víctimas. Alguno de los noventa y dos efectos secundarios del aspartamo, registrados por la FDA, incluye la pérdida de memoria, daño en las células cerebrales, migrañas, deficiencias del aparato reproductor, confusión mental, lesiones cerebrales, ceguera, cuadros de dolor generalizado, Alzheimer, inflamaciones, desórdenes del sistema nervioso, caída del cabello, adicciones alimenticias y aumento de peso.[27]

El aspartamo mueve diez mil millones de dólares anuales.[28] La *National Justice League* (Liga Nacional de Justicia) inició una serie de procesos legales contra compañías alimentarias que utilizan aspartamo, alegando que envenenan a los consumidores. En septiembre de 2004 se presentó una demanda masiva de 350 millones de dólares contra NutraSweet y la *American Diabetes Association* (Asociación Americana de Diabéticos). El secretario de defensa, Donald Rumsfeld, fue convocado para servir como arma de presión política para que el uso del aspartamo fuera aprobado por la FDA.[29]

NutraSweet y Equal contienen aspartamo. Al ser ingerido, uno de los componentes del aspartamo, el alcohol metílico, se convierte en formaldehído, una neurotoxina letal.[30] El Equal, además de aspartamo, contiene fenilalamina aminoácido. El cerebro produce naturalmente esta sustancia. Pero su consumo elevado puede llevar a la depresión y la esquizofrenia.[31] A ninguno de los dos podemos llamarlo «mal menor». NutraSweet y Equal son veneno. Sweet & Low tampoco se salva. Es un endulzante artificial que contiene sacarina, compuesto hecho con alquitrán de hulla.[32] Ni te acerques a él.

Y para seguir con la fiesta, apuntemos nuestros cañones a Splenda, uno de los nuevos endulzantes. Splenda está hecho de azúcar tratada con cloro, lo que cambia su estructura molecular. El producto final se llama Sucralosa.

Los fabricantes de este veneno, que no contiene calorías, dicen además que es excelente para diabéticos. La FDA dice que esta sustancia es 98 por ciento pura. El otro dos por ciento contiene metales pesados, metanol y arsénico.[33] Bueno, nena, por lo menos no tiene calorías. ¿Qué importa si tiene un poquito de arsénico? Se ha determinado que el Sucralosa produce diarreas, daño en los sistemas inmunológico, reproductivo, genético y orgánico, afecta el hígado y los riñones y disminuye el crecimiento y el peso fetal.[34] ¡Un producto maravilloso! En un artículo publicado por el doctor Joseph Mercola, en la revista *Consumer's Research* afirma: «No hay evidencias tajantes de que los endulzantes artificiales ayuden a bajar de peso. Por el contrario, hay algunas señales que indican que podría contribuir a aumentar el apetito».[35]

Pero no solo se han llevado adelante demandas masivas de consumidores. El presidente de la *National Sugar Asociation* (Asociación Nacional del Azúcar) y el fabricante de Equal han emprendido acciones contra Splenda. Se han presentado juntos para demandar a los fabricantes de Splenda «por engañar a los consumidores, haciéndolos pensar que se trata de un producto natural, cuando en realidad se trata de un producto que requiere un complejo proceso químico». Y no penséis que esos dos gigantes de los endulzantes naturales y la industria azucarera se han vuelto bondadosos y se preocupan por la salud pública. Es solo que el astuto marketing de Splenda les ha hecho bajar las ventas.

Hasta el director ejecutivo del *Center of Science in the Public*

Interest (Centro para la Ciencia en Interés Público), el doctor Michael Jacobson, normalmente crítico con la Asociación Nacional del Azúcar, tuvo que aclarar que «las advertencias y etiquetados que aclaran sobre lo saludable o no saludable de los productos alimenticios, deben ser veraces, exactos y no erróneos».[36]

Está claro que los endulzantes artificiales y el azúcar refinado son malos por muchos motivos. Pero hay más. Nuestro cuerpo está siempre buscando un delicado equilibrio: el equilibrio del pH. Todo lo que comemos tiene su propio pH. Cuando la comida se digiere, deja residuos ácidos o alcalinos en nuestro cuerpo, dependiendo de los minerales que ese alimento contenga. Sorpresa, sorpresa: los endulzantes naturales son altamente ácidos o estimulan la producción de ácidos. El café, el exceso de proteínas, la carne, los alimentos pasteurizados, los azúcares refinados y las comidas ricas en grasas también lo son.[37]

Cuando nuestros cuerpos generan ácidos, estamos mucho más propensos a enfermarnos. A veces no nos damos cuenta de que estamos enfermos hasta que es demasiado tarde. Podemos notar y evitar ciertas enfermedades menores, como problemas de piel, alergias, jaquecas, resfriados o micosis. Pero también nos arriesgamos a sufrir daños más severos en la tiroides, en el hígado y en las glándulas suprarrenales. Si tu pH se vuelve demasiado ácido, tu cuerpo reacciona para protegerse a sí mismo. Para contrarrestar los efectos nocivos de los ácidos, el organismo debe «alcalinizarse», consumiendo nuestras reservas de minerales. Y si nuestras reservas están bajas, nuestro cuerpo las tomará de los músculos y huesos.[38] Y si esto no basta para asustarte, escucha: las células cancerígenas se desarrollan mejor en medios ácidos.[39]

Ahora, es lógico, me podrías decir que las frutas y los cítricos son ácidos, pero en realidad, cuando entran en nuestro organismo, se vuelven alcalinos. Parece que esto atentara contra toda lógica, porque parece que debería ser al revés. Pero las frutas contienen calcio y potasio, que son minerales alcalinos. Y también tienen un alto porcentaje de sales alcalinas. Casi todas las frutas, vegetales y legumbres son alcalinas, o se vuelven alcalinas cuando entran en nuestro organismo.[40] Otros elementos alcalinos son las algas, el miso, el haba de soja y el tofu.

La fruta, perfecta. Endulzantes naturales, ok. Azúcar refinado, jamás. ¿Preguntas?

CAPÍTULO 4

La mortal, inmunda y nauseabunda dieta carnívora

La dieta Atkins fue creada en los años setenta. Para bajar de peso privilegia el consumo de carnes y grasas.

¿En qué consiste? En comer los músculos de vacas muertas, cerdos muertos y pollos muertos. Y en evitar la fruta fresca. Eres una incauta total si crees que la dieta Atkins puede hacer que bajes de peso. O quizá tú eres una especie de bestia glotona de las que cree que comiendo hamburguesas mañana, tarde y noche conseguirás bajar de peso. Quizá no has escuchado esto la primera vez que lo he dicho: ¡Para bajar de peso es necesario estar en plena forma y con buena salud! Si en lugar de frutas comes cadáveres todo el día, estarás acercándote, inevitablemente, al desastre. Es cierto que si dejas de comer carbohidratos refinados bajarás de peso. Esta es la parte de la dieta Atkins que realmente funciona. No obstante, la mayor parte del peso que pierdes es agua. Cuando tu cuerpo metaboliza las proteínas (la carne y los lácteos concentran grandes cantidades de proteínas), el nitrógeno sobrante es liberado en forma de urea. La urea es tóxica y la eliminamos de nuestro cuerpo a través de la orina. La dieta alta en proteínas no ayudará a que elimines la grasa de tu cuerpo, solo te servirá como un diurético, ya que te hará orinar más para poder eliminar el exceso de urea.[41] Pero el peso que puedes eliminar a través de este método «urinario» es prácticamente nulo. Si sigues este camino acabarás hinchada, cargada de grasa y con la salud deteriorada.

Las «dietas de moda» como la Atkins se hicieron populares por una razón: venía envuelta en una terminología científica que parecía tener sentido y nos llevaba a comer, de una manera muy poco saludable, alimentos ricos en grasas mientras perdíamos carbohidratos. Tú creías en estas dietas porque querías creer en ellas. Muchas personas comen el doble de proteínas de las que necesitan en realidad, lo que lleva a la obesidad, a las enfermedades de corazón, y a la aparición de más casos de cáncer durante los últimos cinco años. Cuando ingieres grandes cantidades de proteínas animales y grasas saturadas y no comes legumbres integrales y frutas frescas, no incorporas fibras que te ayuden a eliminar todas las grasas y toxinas que se habían acumulado en tu cuerpo. Comiendo de esa forma te estarás haciendo daño a ti misma. Tus pobres riñones están en serio peligro de desarrollar piedras (cálculos), de envejecer prematuramente y de sufrir un colapso funcional. Para regular las proteínas y eliminar el sobrante deben trabajar los dos juntos y al máximo. Y también la sangre sufre las consecuencias, y puede ser demasiado tarde para reparar los daños. Los diabéticos tienen grandes problemas con las dietas altas en proteínas porque están siempre en riesgo de desarrollar enfermedades de riñón. Un estudio en el que intervinieron 1.500 pacientes diabéticos, demostró que la mayor parte había perdido la mitad de sus funciones renales a causa de la elevada ingestión de proteínas animales.[42] Pero ¿no te preocupan tus riñones porque lo único que quieres es bajar de peso? La *American Cancer Society* (Sociedad estadounidense de lucha contra el cáncer) desarrolló un estudio durante más de diez años con casi 80.000 pacientes que buscaban perder peso. Los participantes que comían carne tres o más veces a la semana ganaron mucho más peso que los participantes que dejaron la carne y comieron más vegetales.[43] Estudios publicados por el *The Journal of Clinical Nutrition* y *The New England Journal of Medicine* establecieron con total certeza que las personas que comen carne con frecuencia desarrollan una tendencia más marcada a sufrir problemas de sobrepeso que los que siguen una dieta vegetariana.[44]

Sí, los seres humanos tenemos un alto nivel de inteligencia. Nosotros inventamos armas para cazar y controlamos el fuego para cocinar. Y además encontramos la manera de reproducir animales en masa para devorarlos. Pero si estudiamos la vida de los animales en su estado natural, veremos que ellos no utilizan más armas que su propia capacidad como cazadores, su fuerza y velocidad, el poder de sus garras, sus dientes y sus mandíbulas. No necesitan herramientas ni armas. Ahora mírate. Mira tus uñas, tan delicadas, y compáralas con las garras de un águila. Mira tus dientes, planos y apenas afilados, y compáralos con los colmillos de un león. Compara tu velocidad y agilidad con las de un tigre. Compara la fuerza de las mandíbulas de un lobo respecto a las tuya. Imagínate a ti misma corriendo detrás de un animal. Imagínate cazándolo y matándolo con tus propias manos, tus uñas, tus dientes, tus mandíbulas. No solo harías el ridículo, sino que probablemente saldrías malherida. Y aunque triunfaras como depredadora, imagínate comiendo la presa con cuchillo y tenedor.[45] ¿Qué pasó? Que el cerebro humano se desarrolló hasta dejarnos fuera de la necesidad de cazar. Pero ¿quiere decir esto que ya somos lo suficientemente «inteligentes» «evolucionados» y que debemos comer huesos y carne solo po que podemos hacerlo? La «inteligencia» humana también cr el alcohol, los cigarrillos y las drogas. ¿Debemos beber y fu solo porque somos capaces de hacerlo?

Muchos comedores de carne creen que su ingesta sign

la evolución que nos sacó de las cavernas y que fue lo que nos llevó hasta donde estamos ahora. Y si aceptamos que el hecho de comer carne nos haya hecho evolucionar, veamos, por favor, hacia *dónde* nos ha llevado esa supuesta evolución. Parecemos simios provistos de enorme cabeza, fuertes mandíbulas y largas extremidades. Quizá en el pasado estuvimos preparados para alimentarnos a base de carne. Pero ese tiempo ya ha pasado: ya no somos hombres y mujeres de las cavernas.

En el momento en el que ponemos un alimento en nuestra boca, comienza el proceso de digestión, gracias a nuestra saliva. ¿Y entonces? Nuestra saliva es alcalina y no está preparada para disolver músculos de animales. Los carnívoros tienen saliva ácida, perfecta para la función que debe cumplir. Y el ácido clorhídrico, esencial para digerir cadáveres, en nuestro estómago es segregado en cantidades muy pequeñas. Incluso hay estómagos de animales carnívoros que segregan diez veces más ácido clorhídrico que los nuestros. Nuestras enzimas, tractos digestivos y nuestros órganos son sustancialmente diferentes de los carnívoros. Nos guste o no, nuestros riñones, colon e hígado no están bien preparados para procesar carne animal. Comparado con el de los carnívoros, nuestro intestino es demasiado largo y, por ello, la comida que no fue adecuadamente procesada se atasca en nuestros intestinos. Los animales pasan la comida mucho más rápidamente a través de sus sistemas digestivos, pero nosotros no, y se descompone y fermenta en nuestro tracto intestinal y colon. Por eso compramos tantos enemas y laxantes. ¿Alguna vez has visto tigres haciéndose enemas?

Y a ellos los vemos durmiendo la siesta, porque aunque sus cuerpos han sido diseñados para digerir carne, los animales, después de comer, en general necesitan dormir todo el día para poder digerir, ya que es un proceso muy costoso. Estructural y genéticamente, los seres humanos estamos diseñados para comer más de plantas.[46] Sea de carne magra o de pechuga de pollo desgrasada, la grasa animal seguirá siendo grasa animal. Y no te dejes engañar por los términos acuñados por la industria de la carne. Tu cuerpo no puede digerir la grasa de origen animal, por lo que se distribuye en tu culo, brazos y estómagos como si fueran pequeñas mochilas.

A todo este panorama debemos sumarle la cruel y nauseabunda realidad que significa el proceso de la producción de carne de forma industrial.

De los diez millones de animales sacrificados cada año en Estados Unidos para consumo humano, la mayor parte procede de las llamadas «granjas-factorías». Las granjas-factorías o granjas industriales crían gallinas, pollos, cerdos, terneras, y vacas en enormes cantidades y espacios reducidísimos. No hay prados verdes donde pastar ni tampoco extensas llanuras. Los animales están confinados en edificios donde son almacenados, literalmente, unos sobre otros. Las gallinas ponedoras están encerradas en cajas minúsculas en las que no pueden siquiera abrir las alas, y se destrozan las patas caminando sobre mallas metálicas.

Este entorno de hacinamiento y estrés hace que las gallinas se picoteen unas a las otras, por lo que los trabajadores optan por seccionarles el pico con una navaja. Cerdos y vacas están prisioneros en establos minúsculos, por lo que no pueden darse la vuelta o echarse en el suelo con comodidad. Los animales son sujetados y se les marca a fuego el nombre de la fábrica o compañía, y después se les cortan los testículos y cuernos. Y los cerdos no son solo marcados y castrados, además les cortan las orejas, las pezuñas y los dientes. Todos viven en medio de sus propias heces, de sus orines y vómitos con heridas abiertas e infectadas. Para mantener vivos a los animales en estas atroces condiciones, les administran dosis regulares de antibióticos.

La mitad de los antibióticos fabricados en Estados Unidos están destinados a los criaderos de animales, lo que causa efecto de resistencia a los antibióticos en los humanos que sumen esta carne.[47] Un estudio de la Universidad de California-Berkeley, asociaba el consumo de carne a las infecciones urinarias en las mujeres. No nos sorprendamos al saber que las enfermedades infecciosas más comunes en las mujeres estadounidenses son las infecciones del tracto urinario.[48] Dos más dos, cuatro.

Para tontos y escépticos he aquí una lista incompleta de lo que contienen la ternera, el pollo, el marisco y los productos lácteos: hexaclorato de benceno (BHC), clordano, diclorofenil tricloretano (DDT), dieldrin, dioxin, heptachlor, hexaclorobenceno (HCB) y lindane.[49]

Quizá todo esto contribuya a que comer carne conduzca a la obesidad, al cáncer, a los desórdenes funcionales de hígado, riñones y aparato reproductivo, a los defectos de nacimiento, desórdenes del sistema nervioso y abortos.[50] Los granjeros estadounidenses comenzaron a utilizar pesticidas a finales del siglo XIX y al comenzar, quedaron realmente impactados por los resultados obtenidos. Sin embargo, se dieron cuenta de que los pesticidas podían matar a cualquiera que se expusiera ante ellos: ranjeros, trabajadores del campo y animales. En 1972 la *US vironmental Protection Agency* (EPA, Agencia de Protección lioambiental de Estados Unidos) prohibió el DDT.[51] Pero esticidas que les siguieron no fueron mejores. El BHC es s más cancerígeno que el DDT, el clordano cuatro veces ieldrin entre 47 y 85 veces más, el HCB veintitrés veel heptachlor entre 15 y 30 veces más. A finales de la 1980, más de la mitad de 450 especies animales que ban en peligro fueron llevadas a la extinción. Finalbierno vetó la producción y uso de estos pesticidas. o detuvo la producción ni la distribución de nuevos que se rociaban sobre nuestros alimentos. Para cubrirsibles pérdidas, las compañías comenzaron a exporcos stocks de pesticidas a países del tercer mundo, por lo que parece evidente que les pareció aceptable envenenar personas y animales que no fueran estadounidenses. Estos países utilizaban los pesticidas en sus cultivos, cuya producción luego era importada a Estados Unidos.[52] Brillante idea. Y estén o no estén etiquetados, una vez que han entrado en el suelo o en el agua, los pesticidas siguen contaminando durante décadas.[53]

Uno de los herbicidas cuyo uso está más extendido en Estados Unidos, el glufosinato, cuyos residuos se han encontrado en el agua y los alimentos de casi todos los rincones del país, causa daños hormonales y cerebrales.[54] En su libro *Dieta para un planeta envenenado (Diet for a Poisoned Planet)*, David Steinman da cuenta de todas las sustancias químicas tóxicas halladas en los alimentos. Entre el 95 y 99 por ciento provienen de la carne, el pescado, los lácteos y los huevos.[55] Además revela que muchos de los sistemas de detección utilizados no siempre detectaban todos los productos químicos y pesticidas empleados. La FDA realizó el *Total Diet Study* (Estudio completo de la dieta) un estudio por el que pudo establecer que el beicon contiene residuos de 48 pesticidas diferentes, la mortadela y otros embutidos contienen 102 tipos diferentes de pesticidas y contaminantes industriales, las hamburguesas de establecimientos de comida rápida 133, las salchichas de Frankfurt 123, y la carne picada, residuos de 82 pesticidas y químicos industriales diferentes. Y solo nombramos unos pocos.[56] En comparación, la carne contiene 14 veces más pesticidas que los alimentos de origen vegetal, y los lácteos 5 veces más pesticidas que los alimentos vegetales. Solo en Estados Unidos se vierten dos billones de kilogramos de pesticidas al año sobre nuestros alimentos. Este patético estado de contaminación y el uso de hormonas para el crecimiento han provocado que la Comunidad Económica Europea haya vetado la compra de carne y alimentos procedentes de Estados Unidos en numerosas ocasiones.[57]

A muchos animales se les dieron medicamentos y drogas con diferentes contenidos de arsénico.[58] ¡Arsénico!

Los pesticidas químicos también son rociados directamente sobre la piel de los animales para protegerlos de parásitos, insectos, roedores y hongos. Y encima todos estos animales son alimentados con comida tratada con pesticidas. En las granjas industriales, más es mejor. Más carne, más leche, más huevos, significa más dinero para sus propietarios. Por eso, para crecer o producir al máximo, a los animales se los trata con esteroides y hormonas de crecimiento. Pero ¿qué pasa con las personas que ingieren la carne del ganado engordado artificialmente? Las niñas, por ejemplo, experimentan una prematura entrada en la pubertad que, en Estados Unidos, tiene proporciones de epidemia. Buen número de científicos establecen como responsable de este fenómeno la presencia de hormonas en la carne de pollo, de ternera, en la leche que se proporciona a los niños. En esencia, cada vez que consumimos carne de pollo, ternera o cerdo, huevos o lácteos provenientes de granjas industriales, estamos consumiendo antibióticos, pesticidas, esteroides y hormonas. Es imprescindible repetirse cada día lo siguiente: cada vez que consumimos carne de pollo, ternera o cerdo, huevos o lácteos provenientes de granjas industriales, estamos consumiendo antibióticos, pesticidas, esteroides y hormonas.

Ahora estarás pensando: «¿Y a quién le importa todo este asunto de los pesticidas cancerígenos? ¡Si yo solo quiero adelgazar!» ¿Alguna vez has tomado la píldora y has conseguido bajar de peso? ¿Se puede ganar peso al realizar un tratamiento para la fertilidad? Bien, comer la carne de animales que han sido tratados con hormonas tiene el mismo efecto que tomar las hormonas directamente.

Según la doctora Paula Baillie-Hamilton, autora del libro *The Body Restoration Plant*, los antibióticos se administran para asegurarse de que los animales ganan peso.[59] La autora también afirma que los químicos tóxicos también se utilizan en la producción de alimentos destinados al engorde. Los pesticidas utilizados para evitar el crecimiento de malezas o las sustancias químicas administradas para engordar a los animales, alteran el metabolismo del cuerpo de quien las ingiera causando aumento de peso. Después de haber estudiado a animales y humanos, descubrió que las dosis bajas de sustancias químicas tóxicas aumentan el apetito, hacen que el metabolismo trabaje de forma más lenta, disminuyen la capacidad del cuerpo para quemar el exceso de grasa y reducen la capacidad de hacer ejercicio.[60] La FDA ha realizado una lista de casi 1.700 drogas autorizadas para usarlas en animales de granja. De todas estas drogas autorizadas, 300 incluyen «ganancia de peso» en sus descripciones.[61] Y esto no es todo. En su libro *Animal Factories* (Fábricas de Animales), Jim Mason y Peter Singer afirman que en la actualidad se utilizan de 20.000 a 30.000 drogas de forma legal y autorizada.[62]

Todos escuchamos a menudo la siguiente afirmación: «Yo nunca como carne roja. Solo como pollo». Escucha bien: la carne de pollo es mucho peor que la de cerdo o la de vaca. Según el *American Journal of Epidemiology* (Diario Americano de Epidemiología) el consumo de carne de pollo (y de marisco) está directamente asociado a la aparición de cáncer de colon. Un grupo de investigadores examinó los hábitos alimenticios de 32.000 hombres y mujeres durante un período de seis años, y observaron la aparición de casos de cáncer durante los siguientes seis años.

«Entre los participantes que habitualmente consumían carne roja y que comían carnes blancas solo una vez a la semana o menos, el riesgo de cáncer de colon era un 55 por ciento mayor que en los que consumían ambos tipos de carne con igual frecuencia. Los que consumían carne blanca más de una vez a la semana tenían un riesgo tres veces mayor de padecer cáncer de colon».[63] Investigadores del *National Cancer Institute* (Instituto Nacional del Cáncer) de Estados Unidos encontraron, en el pollo asado, altísimos niveles de aminas heterocíclicas, cancerígenos que se forman al cocer la carne al fuego. Con 480 microgramos de aminas heterocíclicas por gramo, el pollo asado contiene una cantidad quince veces mayor que la carne roja.[64]

Y no te refugies en una falsa sensación de seguridad. Los gobiernos no aseguran la calidad de los alimentos. Las noticias sobre la epidemia gripe aviar van y vienen, pero esta enfermedad es real y puede haber una epidemia generalizada. Y según un estudio del la *National Research Council* (Asociación de Investigación Nacional), un criadero de pollos industrial tiene el 90 por ciento de su granja contaminada por el virus de la salmonelosis.[65] ¡Nada menos que el 90 por ciento! Grave. Y asqueroso.

Desgraciadamente, nuestras aguas no están más limpias que nuestra tierra. Sí, es cierto que algunos peces contienen ácidos grasos esenciales y vitaminas, minerales y proteínas. Pero todos estos nutrientes también están presentes en las semillas de lino, de calabaza, sésamo y girasol, en avellanas, soja, frutas, vegetales y verduras de hoja verde, en los derivados de la soja y los granos integrales.

El pescado y las otras carnes provenientes del mar contienen altos niveles de sustancias contaminantes, residuos industriales y residuos de pesticidas de los cultivos. Pescados y mariscos contienen altos niveles de mercurio y metales pesados, los cuales son absorbidos por nuestro organismo. Pero también aparecen trazas de otras sustancias, como el BHC, DDT, clordano, dieldrina, heptachlor, y dioxinas.[66] Estas sustancias pueden causar neurotoxicidad, lo cual causa disfunciones en el estado y la capacidad mental. El cuerpo humano contiene acetilcolina, una sustancia química que existe en la naturaleza y que ayuda a la transmisión de los impulsos nerviosos y para que éstos circulen de forma fluida de nervio a nervio. Una vez realizado ese trabajo, esa sustancia ya no se necesita y disminuye hasta que el cuerpo cesa de producirla. Entonces, nuestro cuerpo produce una enzima, la colinesterasa, la cual nos libra de la indeseada acetilcolina. Los pesticidas disminuyen nuestra capacidad para producir colinesterasa, lo que causa alarmantes subidas de los niveles de la peligrosa y cancerígena acetilcolina.[67] El mercurio, también cancerígeno, puede alterar el funcionamiento del sistema inmune, bajar la presión sanguínea, causar cegueras y parálisis, aumentar los niveles de mortalidad por problemas cardíacos, y también se ha comprobado que reduce la fertilidad y la potencia sexual.[68] Además causa daños irreversibles en el cerebro del feto, de los bebés y de los niños.

¡Delicioso…! Tenemos un poco de veneno mercurial en nuestro plato de atún. ¿Qué tal un poco de triquinosis en nuestro lomo de cerdo?

Y no te olvides de algo de salmonela en huevos y pollo. Lo cierto es que no queremos dejar fuera del banquete a la enfermedad de las vacas locas. Piensa en lo que comes. Lo que llamamos salmón, hamburguesa, bistec, pollo, beicon, jamón, roast beef, salami, mortadela, pavo, salchicha de Frankfurt, y pato, en la actualidad no son más que cadáveres, cadáveres podridos de animales muertos.

Bon appétit!

Cerrar los ojos a la realidad o mirar hacia otro lado no ayudará a solucionar el problema. No quieres verlo, pero te los comes. Así que si quieres estar delgada, deberías hacerte vegetariana, es decir, alguien que no come animales muertos ni frutos del mar. Deja de gruñir. Nosotras no crecimos en granjas vegetarianas ni somos hijas de hippies, ni crecimos en comunidades. Crecimos comiendo carne todo el día, todos los días. Detestábamos el tofu y escupíamos sobre las verduras. Esto es cierto. Las adicciones de Kim incluían delicias como el *chopped*, las salchichas de Frankfurt en lata, y las hamburguesas más grandes de los establecimientos de comida rápida. Hasta un día del año 1992. Rory comió un bocadillo de jamón, queso y huevo para desayunar, y siguió con una hamburguesa doble con beicon, patatas fritas y refresco: toda una comida. La cena: pollo muerto, pescado, ternera o cerdo. Ahora admitámoslo, para adelgazar debemos dejar de comer carne. Las dos decidimos hacernos vegetarianas después de informarnos sobre el trato que se le daba a los animales en las granjas. Y las dos notamos grandes cambios en nuestra manera de pensar, en nuestras actitudes, en nuestra salud, nuestro carácter, y también en nuestros traseros.

Primero es importante decir y decirse: «Nunca volveré a consumir carne» y piensa en que cada vegetariano del mundo se repite estas mismas palabras junto contigo. Después busca alguna foto que te inspire, una foto de una mujer *Skinny Bitch*, y luego limpia a fondo tu nevera.

En el mercado hay numerosos y excelentes productos, basados en la soja, con los que podemos sustituir la carne. No solo están hechos con buen sabor, la soja está recomendada para bajar los niveles de colesterol, para prevenir la aparición de cáncer, y para reducir el riesgo de ataques cardíacos,[69] y además permite que el cuerpo asimile mejor el calcio. Los fitoestrógenos presentes en la soja ayudan a la mujer a prevenir el cáncer de mama y alivian los síntomas de la menopausia.[70] Sin embargo hay quienes se oponen a la soja, hay quienes afirman que tiene un impacto negativo sobre la glándula tiroides, que causa déficit de minerales y que aumenta el riesgo de padecer cáncer de mama. Pero según el experto en salud, el doctor Andrew Weil: «Todavía tenemos mucho que aprender sobre la soja, pero la mayoría de las investigaciones conducen a pensar que es un alimento seguro y nutritivo si se come en cantidades razonables, es decir, una o dos comidas al día».[71] Piensa por ti misma y toma tu propia decisión. Si decides tomar los productos con soja que imitan los productos cárnicos, debes saber que quizá no encuentres en ellos el mismo sabor que en el producto original.

Pero una vez que te hayas quitado de tu adicción a la carne, estarás satisfecha con los sustitutos. Solo necesitas algunas semanas (y algo de dinero) para experimentar y encontrar los que tú prefieras. Existen muchos tipos de hamburguesas vegetarianas.

Health is Wealth fabrica *fake buffalo wings* que tienen un excelente sabor. Las Gardenburguer's Flame-Grilled de pollo son más que aceptables. Además, tiene una excelente línea de embutidos y un fabuloso beicon. Mira y elige. Un sitio web interesante para visitar es www.vegieworld.com.

También hay una compañía asiática, que hace envíos por correo, y que no solo vende sucedáneos de pollo y carne, sino también de pescados y mariscos. Y recuerda, para estar delgada debes utilizar la cabeza. Siempre debes leer los ingredientes de los alimentos y asegurarte de que no hay productos animales ni derivados en los alimentos que consumes. Por el resto de tu delgada vida, cada vez que compres algo que te vayas a llevar a la boca deberías leer los ingredientes.

CAPÍTULO 5

La catástrofe láctea

Y si le pides a tu madre que te amamante otra vez? Hazlo. O pídele que te dé un biberón. Anímate. ¿A que es ridículo? Sí. Estás en lo cierto. Es ridículo. Prepárate para usar la cabeza.

Cuando una mujer da a luz, su cuerpo produce leche y con ella alimenta a su hijo.

La leche materna puede hacer que un recién nacido de cuatro kilos llegue hasta los doce kilogramos. Una buena manera de ganar peso, ¿no? Lo es. Es el crecimiento más rápido y completo que experimentará el ser humano a lo largo de toda su vida.

Solo la leche materna puede multiplicar por tres el peso en un período de 12 meses. Cuando el niño crece, en el período entre los 12 y los 24 meses, a la madre se le comienza a retirar la leche, hasta que ya no produce más. Los niños no volverán a tomar leche materna nunca más.

A las vacas, como a todos los mamíferos, les ocurre algo parecido. Sus cuerpos producen leche solo cuando van a dar a luz. Contrariamente a la creencia popular, una vez que han dado de mamar, ya no necesitan producir más leche. Sus ubres, como los pechos de las mujeres, existen aunque no produzcan leche. Sin embargo, hay una diferencia mucho mayor. La leche de vaca, tal como es, lleva al ternero a crecer desde los 25 kg. iniciales, hasta los casi 500 kg. que llegan a pesar, y todo en el curso de dos años.[72] Lleva a los terneros a doblar el peso con el que habían nacido en solo 47 días y deja sus cuatro estómagos totalmente llenos. Por lo que parece, debe ser una leche mucho más grasa que la humana, ¿no? Sí, lo es. Las vacas son mucho más grandes que los seres humanos. Y el trabajo que realiza su organismo es completamente diferente al nuestro, como debe ser. Ellas son vacas. Nosotras, seres humanos. Obvio.

Los mamíferos necesitan la enzima lactasa para poder digerir la lactosa (el azúcar presente en los lácteos). Sin embargo, entre los 18 meses y los cuatro años de edad, perdemos entre el 90 y el 95 por ciento de esta enzima. La indigerible lactosa y la naturaleza ácida de la leche pasteurizada propicia el desarrollo de bacterias en nuestros intestinos.[73] Todo esto aumenta el riesgo de cáncer porque las células cancerosas se desarrollan en entornos ácidos.[74]

¿Tienes mocos? Los derivados de la leche producen mocos y además el cuerpo desarrolla fiebre o alergias para combatir esa invasión diaria.[75]

La madre naturaleza no está loca. Todas las especies, incluida la nuestra, tenemos lo necesario para poder pasar sin ella. La naturaleza no necesita adultos que sigan amamantándose. Cuando somos adultos ya no necesitamos la leche de nuestras madres ni la volveremos a necesitar. Somos la única especie en todo el planeta que bebe leche durante su vida adulta. Somos la única especie del planeta que bebe leche de otras especies. Podríamos preparar nuestros cereales con leche de gorila o comer galletas con leche de cebra. ¿Por qué leche de vaca? Utilizar un animal que produce una gran cantidad de leche y que es mucho más fácil de encerrar que un elefante, significa mucho dinero para los productores. No tiene nada que ver con salud o nutrición. Otra vez el dinero. La de los lácteos es una industria poderosa que genera billones de dólares en beneficios y se basa en brillantes campañas de publicidad y en la fabricación de leches, mantequillas y quesos adictivos. Han convencido a médicos, consumidores y gobiernos de que «necesitamos» la leche de vaca. Toda la vida nos han dicho «bebe mucha leche, así crecerás fuerte y sano». O «si no bebes leche tus huesos serán débiles, tendrás osteoporosis. Necesitas el calcio de la leche». Mentira.

Investigadores de Harvard, de Yale, de Penn State, y del *National Institute of Health* (Instituto Nacional de Salud) han estudiado los efectos del consumo diario de lácteos en la salud de los huesos. Ninguno de estos estudios encuentra que los lácteos sean efectivos para prevenir la osteoporosis.[76] Por el contrario, un estudio realizado por el mismo *National Dairy Council* (Consejo Nacional de Industrias Lácteas), revela que la principal proteína contenida en los productos lácteos en realidad contribuye a disminuir los niveles de calcio de nuestro cuerpo.[77] Después de estudiar treinta y cuatro estudios publicados en dieciséis países, investigadores de la Universidad de Yale han descubierto que los países con las tasas más altas de osteoporosis (incluidos Estados Unidos, Suecia y Finlandia) son mayores entre la población que consume cantidades importantes de carne, leche y de otros alimentos de origen animal.[78] Otro estudio muestra que mientras 40 millones de mujeres estadounidenses padecen osteoporosis, solo 250.000 mujeres africanas padecen esta enfermedad ósea. De las cuarenta tribus de Kenia y Tanzania, solo una, la tribu de los Massai o Masai, tiene individuos que padecen osteoporosis. Los Massai o Masai, según parece, son criadores de ganado, del que consumen leche.[79]

Los productos lácteos están asociados a otra buena cantidad de problemas de salud, como acné, anemia, ansiedad, artritis, síndrome de atención difusa, hiperactividad, fibromialgia, jaquecas, infartos, indigestiones, síndrome de colon irritable, dolor crónico, debilidad del sistema inmunitario,[80] alergias, infecciones de oído, cólicos, obesidad, enfermedades cardíacas, diabetes, autismo, enfermedad de Crohn, cánceres de próstata y mamas[81] y cáncer de ovarios.[82]

Harvey y Marilyn Diamond, autores del citado best seller *Fit for Life II*, dicen con toda claridad: LOS DERIVADOS DE LA LECHE SON PRODUCTORES DE ENFERMEDADES. Son nocivos. Son causa de sufrimiento. Son alimentos perfectos para comer si quieres enfermarte y tener un cuerpo enfermo. Los dietistas y nutricionistas que hacen de voceros y promotores de la industria de los lácteos, y que afirman que los derivados de la leche son productos sanos y beneficiosos para nuestra salud, deberían sentirse avergonzados por llevar a consumidores inocentes a creer que los derivados de la leche son realmente útiles, y por fallarnos en un terreno en el que deberían inspirar credibilidad y confianza.

Sí, lo afirmamos, en el campo de la investigación médica se ha confirmado que el consumo diario de derivados de la leche es perjudicial para nuestra salud. Sí, decimos que los ejecutivos de las industrias lácteas están al tanto de este hecho pero proclaman que la leche es excelente para nuestra salud. ¿Y cómo son capaces de hacer esto? Por una razón muy sencilla: ganan millones de dólares al año gracias a la venta de estos productos. La mayor parte de los consumidores no leen revistas médicas, pero sí leen la prensa diaria y ven la televisión.

Pero ¿qué pasa con los médicos? ¿Por qué creen que la leche es beneficiosa para nuestra salud? Es triste que en Estados Unidos la mayor parte de los médicos no conozcan prácticamente nada de nutrición. Según una investigación del senado, los médicos reciben menos de tres horas de clases de nutrición a lo largo de toda la carrera de medicina.[83] Están tan desinformados y son tan ingenuos como el resto de los mortales.

Pero supongamos por un momento que la leche de vaca es saludable para los seres humanos. Aunque así fuera, con lo que les dan en las granjas, deja de serlo. Las dioxinas, uno de los grupos de sustancias más tóxicas del mundo, se encuentra en los derivados de la leche.[84] Y no olvidemos que para las granjas industriales, mayor producción es igual a mayores ganancias. Cuando consumes productos lácteos, estás ingiriendo los mismos antibióticos, pesticidas, esteroides y hormonas que consumirías comiendo la carne directamente. A las vacas se les inyecta la hormona bovina del crecimiento. Sus ubres, en condiciones normales, pueden dar alrededor de cinco litros de leche al día. Pero con sus técnicas químicas los granjeros les hacen producir ¡más de cincuenta litros de leche al día! En la actualidad, no hay ningún granjero que se siente al lado de su vaca sobre su banqueta para ordeñarla con sus propias manos. A las vacas las ordeña una máquina. Unas ventosas metálicas se adhieren a los pezones de las sensibles ubres de las vacas. A menudo las ubres se les infectan y se les lastiman. Se les forma pus. Cuando las máquinas les extraen la leche, también absorben los peligrosos glóbulos blancos, generados a causa de las infecciones, junto a la leche.[85] ¿No es terrorífico?

Para librarse de las bacterias y de otros cuantos microorganismos perjudiciales para la salud humana, la leche es pasteurizada. Pero la pasteurización destruye las enzimas beneficiosas y hace que el calcio se absorba poco al no matar todos los virus y bacterias. Y aunque resulte difícil creerlo, en Estados Unidos se han hallado residuos radiactivos en la leche de vaca.[86]

¿Y el gobierno de Estados Unidos y su Departamento de Agricultura no protege a sus ciudadanos de todo esto? N-O: no. Altos niveles de pesticidas son admitidos en las normas establecidas por el gobierno. Los registros de la FDA muestran que «casi el ciento por ciento de los quesos producidos y vendidos en Estados Unidos contienen residuos detectables de pesticidas».[87]

La leche no es una fuente confiable de minerales. Puedes obtener dosis mucho más altas de manganeso, cromo, selenio y magnesio de las frutas, las verduras y las hortalizas, y además contienen boro, lo que ayuda a disminuir la pérdida de calcio a través de la orina.[88] Consumir grandes dosis de lácteos, genera deficiencias de hierro.[89]

Entonces, ¿necesitas tomar calcio por alguna otra vía o de otra manera? No, no y no. Una manera sencilla de proporcionarnos las cantidades adecuadas de calcio es incluir los siguientes alimentos en tu dieta: cereales enriquecidos, acelga, coles, repollo, mostaza, kelp, algas, berros, brócoli, fríjoles rojos, porotos de soja, tofu, semillas (las de sésamo son las más ricas en calcio) y nueces. Es así de sencillo. Y, por favor, no vayas a la farmacia a buscar pastillas de calcio de absorción rápida. Las investigaciones muestran que los suplementos no marcan diferencias importantes en el tratamiento y la prevención de la osteoporosis.[90] Buenas noticias: quince minutos de sol directo cada día ayudan a la absorción de la vitamina D, lo que significa tener huesos más fuertes.

¿Y qué respecto a los huevos?, os preguntaréis. Cuando una mujer embarazada toma alcohol o drogas éstas afectan directamente al feto, ¿no es así? Así es. Es lo mismo que con las gallinas y sus huevos. Cuando comes huevos, estás ingiriendo las mismas hormonas, pesticidas, sustancias químicas y esteroides que ingieres cuando comes carne de pollo. Por eso, si crees que comer «solo huevos blancos» no engorda o no afecta tu salud, es que te han colado el cuento de la estampita. Los huevos contienen altos niveles de grasas saturadas y son algo muy desagradable si nos paramos a pensar en lo que estamos comiendo. Intenta hacerlo por una vez en tu vida. ¡Piensa en lo que, realmente, estás comiendo!

Saltarás de alegría cuando tomes conciencia de cuánto peso puedes perder si dejas de lado el consumo de leche y sus derivados. La grasa del queso es la que aporta el sabor y la textura que nos agrada. De las calorías presentes en el queso, entre el

70 y el 80 por ciento provienen de su grasa. Hasta cuando compras queso bajo en grasas, algo que roza el sinsentido, más de la mitad de las calorías provienen de su grasa.[91] ¿Libres de grasas?

¡Dadnos un respiro, por favor! Recordad para qué sirve la leche. Está diseñada para hacer crecer y engordar a los bebés de vaca. ¿Crees realmente que se los puede llegar a hacer «libres de grasas»? Piensa con la cabeza y no con los pies. Leche=grasa. Mantequilla=grasa. Queso=grasa. Gente que piensa que estos productos pueden ser bajos en grasas=incautos absolutos.

Por suerte hay muchas alternativas para sustituir a la leche y sus derivados. Y no solo las tiendas de alimentación biológica tienen estos productos. En la actualidad, hay cafeterías que ofrecen leche de soja en lugar de leche de vaca y ciertos bares y restaurantes, más o menos vegetarianos, ofrecen desayunos libres de productos lácteos.

Nuestro sustituto de la leche preferido es el Rice Dream (Original Enriched), y está enriquecido con calcio y vitaminas. Pero tómate la libertad de experimentar hasta que encuentres tus productos favoritos. Recuerda que siempre debes leer los ingredientes. Elimina los sustitutos de lácteos que contengan azúcar. En lugar de mantequilla, inténtalo con la Earth Balance Natural Buttery Spread o con Soy Garden Natural Buttery Spread. Ambos están fabricados a base de aceites no hidrogenados. ¿No puedes vivir sin helados? No necesitas dejarlos. Soy Delicious tiene increíbles *knock-offs*, y completamente libres de lácteos. Ellos mismos también fabrican otros productos similares que debes probar, como los Chunky Mint Madness, las Cookie Avalanche, Rocky Road y Peanut Butter Zig-Zag. Además cuentan con una línea de helados y sorbetes hechos de pura fruta. ¡Y libres de azúcares o componentes derivados de la leche! ¡Demasiado emocionante para poder decir algo!

También somos fanáticas del Double Rainbow Soy Cream, otro delicioso helado alternativo. ¿Y además eres una adicta al queso? No hay problema. Follow Your Heart's Vegan Gourmet fabrica un delicioso sustituto de la mozzarella, Monterrey Jack y Nachos.

Cuidado con los numerosos productos denominados como «queso de soja» que llevan a creer a los consumidores que están libres de lactosa. Cuando te fijas en el embalaje y lees con detenimiento los ingredientes, en algunos descubrirás los desagradables derivados de la leche, como el suero o la caseína. Hay que estar atentas. Hay otros que están completamente libres de derivados de la leche pero que tienen un sabor difícil de soportar.

¿Necesitas huevos y no puedes evitarlo? Evita los Egg Beaters. Están hechos de auténticos huevos, por lo que le damos un no rotundo. Pero si salteas en la sartén una House Tofu Steak (primero córtalo en dos) y añades un poco de mantequilla de soja, sal, pimienta y ketchup, habrás conseguido hacerte algo muy parecido a un huevo frito. También existe un polvo sustituto del huevo que sirve para cocina y repostería y que se llama «Ener-G egg replacer». Y en algunas tiendas también se puede encontrar una excelente ensalada de «huevo de tofu».

Ante la creciente demanda de productos más saludables, libres de grasas y de derivados de la leche, muchas empresas se plantean llevar su producción a ese terreno y nuevas empresas intentan responder a la creciente demanda. Tu dinero como consumidor es tu voz, la voz de tu deseo, y así tu cuerpo estará un poco más a salvo. Y no te preocupes. Si tu tienda de alimentos no tiene algo de lo que buscas, abre la boca y pide que te lo traigan.

CAPÍTULO 6

Tú eres lo que comes

Ahora, tomémonos un rato para reflexionar sobre esa vieja frase hecha: «Tú eres lo que comes». Esta construcción es brillante, en toda su simplicidad. Tú eres un cuerpo humano formado por órganos, sangre, vísceras y otro montón de cosas. La comida que le das a tu cuerpo recorre un largo camino a través de tus órganos y de tu flujo sanguíneo y se convierte, realmente, en parte de ti. Por eso, cada vez que te metes basura en el cuerpo, tú te conviertes en basura. Si en los capítulos 2 y 3 todavía no te has convencido de la conveniencia de dejar de comer productos de origen animal, quizá esto lo haga.

Aunque sepas las espantosas condiciones de vida de los animales en las granjas industriales, ni siquiera puedes empezar a imaginarte el tipo de masacre que en ellas se lleva a cabo cada día. El protocolo «Humano» solicita que los animales sean «aturdidos» antes de ser «sacrificados». Para vacas y terneras, esto significa recibir un brutal golpe en el cráneo con un perno de metal. Cuando se hace de esta forma y con el equipo apropiado, el animal queda inconsciente. Pero tiempo es dinero, y los mataderos trabajan a la velocidad de la luz. Los más productivos matan un animal cada tres segundos. Pero miles de vacas luchando por escapar no son fáciles de aturdir. Por eso es muy fácil que la máquina que lo hace, falle.[92] Los cerdos, aterrorizados, también son difíciles de «conducir», y los atontan con una descarga eléctrica. Y si la descarga es demasiado fuerte, contusiona y hace sangrar a los cerdos, en resumen, deja su carne en un estado que no es «bueno para el negocio». Por eso, les dan descargas eléctricas insuficientes para aturdirlos.[93]

Aturdidos o no, vacas y cerdos son colgados del techo con una cadena que los sujeta por una o dos patas.[94] Se supone que cuando los cuelgan del techo deberían estar inconscientes. Pero muchas veces están plenamente conscientes, vomitando, gritando, y mirando fijamente a los trabajadores que deben abrirles la garganta con un golpe de cuchillo.[95] Después, son conducidas a través de un riel, hasta un sitio donde se desangran hasta morir.

Pero otra vez, estos animales torturados, maltratados, colgados de los ganchos de la cadena estando aún conscientes, llegan a donde están los empleados del frigorífico que los cortan en partes, y que no siempre pueden hacer el «corte correcto». Pero muchas veces llegan a donde están los «deshollandores» antes de que les llegue la muerte. Allí, la piel es separada de la cabeza mientras muchos de ellos todavía están conscientes.[96] Por supuesto, esto es horriblemente doloroso, y los animales patean y gritan desesperados. Para que los gritos del animal no los moleste ni los trastorne, los trabajadores les seccionan la médula espinal, justo debajo de la cabeza, con una navaja. Esto paraliza al animal de cintura hacia abajo con lo que el trabajador queda a salvo. Pero mientras, estos animales sienten cómo la piel es arrancada de sus caras.[97] Después, les cortan la cabeza y las patas, les quitan las entrañas y, finalmente, son cortados en dos piezas. Antes de que los cerdos mueran y mientras aún están conscientes, son echados a una tina enorme de agua hirviendo que sirve para quitar los pelos de la piel.[98]

Los pollos, totalmente hacinados y estresados, se pican entre sí y también pican a los trabajadores de las granjas, por lo que sus picos les son literalmente arrancados de sus caras. Y aunque las aves comprenden más del 95 por ciento de los animales sacrificados para uso alimentario, el Congreso de Estados Unidos no obliga a que pollos y pavos sean protegidos por la Humane Slaughter Act, un protocolo contra el maltrato, por lo que no hay necesidad de aturdirlos.[99]

Pero como es mucho más fácil manipular a los animales cuando no están luchando por su vida, muchas veces les sumergen la cabeza en agua para darles una descarga eléctrica. Esto los paraliza, pero no quedan inconscientes.[100] Una máquina los levanta por los pies y los pone cabeza abajo, y otra máquina les corta la garganta, a razón de cientos de animales por hora.[101] Después se los echa en agua caliente para quitarles las plumas. Y otra vez, en este punto se supone que deberían estar muertos, pero la máquina falla y los pollos no llegan a morir, por lo que son hervidos vivos. Después los pasan por una máquina que literalmente les arranca las plumas, y aún pueden quedar vivos hasta el momento de ser «escaldados».[102] Todo el tiempo son manipulados como si se tratara de muñecos de goma: se los coge por los hombros y los pies, y se los arroja a una caja. Creo que os queda claro.

En las granjas productoras de huevos, los recién nacidos de sexo masculino son descartados por los granjeros porque no producen huevos. Los trabajadores los revisan mientras pasan por una cinta transportadora, identifican su sexo y a los pequeños machos los arrojan a la basura. Literalmente. Millones de pequeños pollitos son apilados unos sobre otros en contenedores de basura, y allí se los abandona hasta que mueren.

En su libro *Slaughterhouse*, Gail Eisnitz, investigador de la *Humane Farming Asociation* (Asociación de Granjeros por los Animales), entrevistó a docenas de trabajadores de mataderos de todo el país. Cada uno de ellos admite haber maltratado a los animales o haber prescindido de denunciar quién lo ha hecho.[103] Lo que sigue son declaraciones de los trabajadores de los mataderos y se han tomado de su libro. Algunas son muy gráficas y dolorosas de leer, pero os rogamos que las leáis. Es importante saber a qué contribuimos con todo esto a través de nuestra dieta. Pero si los animales aguantan el maltrato, tu podrás aguantar la lectura:

«He visto cómo los empleados encargados de aturdirlos cogían su arma, un palo del largo de un bastón de hockey, y se la metían por el culo... lo he visto hacer a cerdos y a vacas... También vi cómo se los metían en los ojos, en los oídos, o por la boca y la garganta... Así los llevaban a donde les tocaba, mientras los animales chillaban desesperados».[104]

«Los cerdos se estresan con facilidad. Si los agobias demasiado pueden llegar a sufrir ataques cardíacos. Si le das un pinchazo a un cerdo y se caga y tiene un ataque cardíaco o, simplemente, rehúsa moverse, tomas un gancho de la carne y se lo metes por el culo para engancharlo. Después lo arrastras, vivo, y muchas veces el gancho desgarra el esfínter anal del animal. He visto lechones totalmente destripados. También suele verse cómo se les salen los intestinos. Si el cerdo sufre el colapso en uno de los extremos de la rampa transportadora, le encajas el gancho en la mejilla y lo arrastras para quitarlo de allí.»[105]

«También puedes metérselo por la boca y engancharlo por el paladar, y aún siguen vivos.[106] En la planta donde se los sacrifica, los cerdos se me acercaban y me frotaban el hocico contra las piernas, como si fueran cachorros. Después debía matarlos dándoles un golpe con una barra de hierro.»[107]

«Después, estos cerdos se suben a donde se encuentran los tanques de escaldado. A veces patean tanto que echan el agua fuera del tanque. Pero hay un brazo rotativo que se encarga de hundirlos, por lo que no les queda oportunidad alguna de escapar. No sé si algunos llegan a morir antes de caer al agua, pero siempre tardan un par de minutos antes de dejar de moverse.»[108]

«A veces los engancho por el oído y la punta del garfio sale por su ojo. Y no solo le saco el ojo, sino que cojo el gancho sobre su cabeza, y lo muevo hacia un extremo y otro.»[109]

«Pero si no has conseguido matarlo, le seccionas la tráquea de manera que se ahogue en su propia sangre. Le arrancas las narices. En estas condiciones, algunos aún corren en el pozo o el corral. Una vez, un cerdo corrió hasta que me vio y se acercó, mirándome. Yo saque mi navaja y le arranqué el ojo mientras seguía allí sentado. El cerdo solo gritó.»[110]

«Podría describiros escenas horrorosas... sobre animales con su cabeza atrapada bajo los grandes portones, y la única manera de sacarlos de allí es decapitándolos mientras aún están vivos.»[111]

«Los golpean o los pinchan con lo que tengan a mano. Hay quien ha roto tres ganchos en poco tiempo, solo pinchándolos. Da igual si le enganchas los ojos, la cabeza o las patas. Hay quien los engancha con tal fuerza que arranca las manijas de madera. Y después de esto, los matan a palos, golpeándolos en la espalda.»[112]

«He visto animales desarticulados, aplastados, empalados o desollados vivos. Es demasiado para poder contarlo, y demasiado para recordarlo. Es solo un proceso que funciona continuamente. He visto terneras amarradas con grilletes, mirando a su alrededor antes de ser apaleadas. He visto cerdos que se suponía que deberían estar inconscientes, colgados de los rieles transportadores por las patas traseras, conscientes. He visto cerdos en las piletas de escaldar, nadando, tratando de salir.»[113]

«He visto tíos metiéndoles palos de escoba por el ano y removiéndoselos dentro.»[114]

«He drogado vacas hasta que veía cómo se le rompían los huesos, mientras aún seguían vivas. Después las llevaban a un rincón de la cuadra dejándolas frente al portón de entrada, hasta que les tocaba el turno de que las colgaran, les abrieran la piel, hasta que la sangre comenzara a derramarse sobre el acero y el cemento. Les rompíamos las patas... mientras gritaban con la lengua afuera. Entonces tirábamos de sus cabezas, hasta que el cuello se les rompía.»[115]

«Una vez cogí mi cuchillo, un cuchillo muy afilado, y fui cortando en rodajas el hocico de un cerdo, como si se tratase de una pieza de mortadela o algo así. Durante unos segundos el cerdo se volvió loco. Después se quedó quieto, sentado con un gesto estúpido. Entonces tomé un puñado de sal gruesa y se lo eché en la herida. Entonces se volvió realmente loco, frotando el hocico contra todo lo que podía. Yo, que tenía guantes de goma, aún llevaba un puñado de sal en la mano, y se la metí por el culo al animal. El pobre cerdo no sabía dónde tenía la cabeza y dónde el culo.»[116]

«Nadie sabe quién es el responsable de corregir y evitar los abusos en las granjas industriales. El *US Department of Agricultura* (USDA, Departamento de Agricultura de Estados Unidos), parecería que no lo fuera.»[117]

Einitz da cuenta de la incapacidad de los inspectores de este Departamento para detener los abusos y para que dejen de hacer la vista gorda. Además, revela la pasmosa inoperancia respecto a que se distribuya carne contaminada para el consumo humano. Piénsalo un momento. ¡Diez mil millones de animales al año! ¿Crees que el USDA pondrá inspectores suficientes para supervisar una matanza incruenta y controlada de diez mil millones de animales al año? Por supuesto, los inspectores toleran las crueldades y la distribución de carne contaminada. Imagina la clase de persona que puede presenciar, impasible, la muerte de cientos de animales inocentes al día. Y aunque los inspectores quisieran hacer un buen trabajo (que no lo hacen), los trabajadores podrían saltarse fácilmente los controles. Eisnitz interrogó a un trabajador de un matadero de caballos que le confesó: «Quizá solo una parte de él (un caballo enfermo) estuviera mala, quizá la neumonía lo había tomado por completo. Yo lo quise apartar, pero mi jefe me dijo que cortara los cuartos traseros y que los guardara en la conservadora. Se supone que esa carne debería apartarse, así se hace, hasta que es cortada y envasada». Cuando Eisnitz le preguntó si esa carne no debería llevar la etiqueta de «Inspeccionado por el USDA», él respondió: «El jefe tiene la máquina para colocar las etiquetas. La pone cuando el inspector se va... Tú coges el caballo enfermo, lo pelas, lo cortas, lo envasas, lo etiquetas... y lo vendes en bistecs».[118]

Según el testimonio presentado por una antigua trabajadora de un matadero, las plantas productoras de aves y huevos son las más sucias. «Había ratas, moscas y cucarachas de 10 centímetros de largo que cubrían por completo el suelo y las paredes»[119] pero eso no es todo: «Antes de ser sacrificados, algunos pollos caen en el canal de desagüe que corre en medio de la sala. Allí es donde van a parar intestinos, buches, partes inservibles, heces y sangre. Los trabajadores también vomitan allí. Los empleados escupen allí permanentemente, allí tiran las colillas de tabaco, y a veces deben "aliviarse" sobre el suelo, también allí... Los supervisores nos dicen que saquemos de allí los pollos que han caído y que los volvamos a poner en la línea de producción».[120] Un inspector del USDA dijo, respecto a las cucarachas: «Una vez disparamos el flash de una cámara dentro de un agujero del que entraban y salían. La capa de cucarachas era tan gruesa que no conseguimos ver el fondo».[121] Un trabajador de otra planta declaró: «Cada día veía pollos negros, pollos verdes, pollos que apestaban, y pollos cubiertos de mierda. Se supone que los animales en este estado deberían retirarse, pero a pesar de eso continúan su proceso en la línea de producción».[122] Otro trabajador declaró: «Yo he visto carne podrida, a la que detectas por el olor. Esta carne podrida se mezcla con carne fresca para hacer alimentos para bebés, potitos. Nos ordenaban mezclar la carne podrida con la fresca, y ésa era su manera de venderla y evitar pérdidas. Podíamos ver los gusanos dentro de esa carne».[123] Sin comentarios. No tenemos palabras.

Los animales son criaturas inteligentes, sociales y emocionales. Investigadores de la Universidad de Bristol, en Inglaterra, han demostrado que son capaces de desarrollar afinidades y rencores. Un estudio muestra que las vacas se estimulan resolviendo pruebas de inteligencia.[124]

Según el investigador de las conductas animales, doctor Chris Evans, de la Universidad Macquaire de Australia, los pollos y las gallinas son tan inteligentes como los mamíferos, incluidos ciertos primates. Son excelentes alumnos, capaces de aprender observando los errores que otros cometen. Un investigador llevó a cabo un estudio que demostraba la capacidad de pollos y gallinas para accionar interruptores y palancas, con el objetivo de cambiar la temperatura de su hábitat. Un documental de PBS demuestra que estas aves disfrutan de la televisión y de la música.[125]

¡Los cerdos pueden jugar a videojuegos! Se afirma que son más inteligentes que los perros y que los seres humanos a los tres años de edad. También son capaces de indicar sus preferencias de temperatura.[126]

Hasta los peces tienen sentimientos. El doctor Donald Broom, asesor científico del gobierno británico, explica: «La literatura científica es bastante clara al respecto. Desde el punto de vista anatómico, fisiológico y orgánico, el sistema de dolor de los peces es virtualmente el mismo que el de las aves y animales en general». Los peces, como los llamados «grandes vertebrados», tienen neurotransmisores similares a las endorfinas, que mitigan el dolor.[127]

Cuando sienten los gritos y quejidos de otros congéneres que van a ser sacrificados, los animales se aterrorizan. Saben que van a ser asesinados y sienten pánico. Cuando les quitan sus terneros, las vacas patean las paredes por la rabia y la frustración, y lloran con total desesperación.

Piensa en cómo te sientes cuando estás enfadada, asustada y desesperada. Evoca las sensaciones físicas que acompañan estas emociones. Estas emociones (miedo, dolor y rabia) generan cambios químicos en nuestros cuerpos. En los animales ocurre exactamente lo mismo. Les sube la presión sanguínea. La adrenalina corre por sus cuerpos. Tú comes alta presión sanguínea, estrés, y adrenalina. Tú comes miedo, desesperación e ira, comes sufrimiento, terror, asesinatos. Comes crueldad. Tú eres lo que comes. No puedes estar en forma y ser agradable y esbelta si te alimentas con miedo, desesperación y rabia.

Aunque una minúscula parte de la «carne» que se consume en Estados Unidos proviene de granjas tradicionales, ¿cómo puedes saber con certeza si esa carne es realmente de animales criados de forma natural? Las empresas quieren que creamos que los productos etiquetados como «de granja» o «de ganadería ecológica» provienen de animales que han pasado su vida al aire libre, disfrutando del sol, del aire libre y de la compañía de otros animales. Pero, con la única excepción de los huevos etiquetados como «orgánicos», no existe regulación gubernamental alguna. Además, el USDA no regula el etiquetado de la carne que reza «de granja» y «de ganadería ecológica».[128] Y si no hay oficinas gubernamentales que asuman esta necesidad, ¿vas a creer a alguien que se enriquece con dinero ensangrentado? Y aunque la granja sea de cría ecológica, los animales acaban en espantosos mataderos. Un vídeo secreto muestra que en algunos mataderos «kosher» los animales sufren los mismos abusos y torturas.[129] Muchos animales ni siquiera sobreviven al transporte que los lleva de la granja al matadero. La única regulación que existe en cuanto al cuidado de los animales durante su transporte se refiere exclusivamente a los trenes. Pero, vaya casualidad, el 95 por ciento de los animales se transporta en camiones.[130] No reciben agua ni comida, ni protección contra las condiciones de calor o frío extremos. Cientos de miles de animales llegan muertos o demasiado maltrechos o enfermos como para moverse. Durante los trayectos viajan en medio de su propia orina y de sus heces. En invierno, los músculos y los pies se les congelan en el interior de los camiones. En el momento de llegar, son literalmente arrancados de los camiones. Un trabajador entrevistado por Eisnitz declaró: «Los animales se congelan en ese pasadizo de acero. Pero sobreviven, y el cable que los engancha y los levanta a veces les llega a arrancar una pata».[131]

Suponiendo que hayas empezado una «dieta sana» a base de carne (lo que es muy poco probable), debes saber que estás ingiriendo hormonas, pesticidas, esteroides, antibióticos, miedo, desesperación y rabia. Eres lo que comes. ¿Y qué ocurre si se trata de un animal enfermo? Los animales demasiado enfermos o maltrechos como para caminar son ejecutados o arrastrados por un camión, atados con una cadena. Hasta el año 2004, el USDA permitió que estos animales, a los que se refiere como «caídos», se destinaran al consumo humano. Finalmente, con la aparición de la llamada «enfermedad de las vacas locas» (una enfermedad mortal e incurable que se transmite los humanos a través del consumo de carne vacuna), los hizo entrar en razón. Pero en 2005, Mike Johanns, secretario del USDA, anunció que los animales «caídos» podían volver a destinarse al consumo humano. A todo ese veneno que comes, debes agregarle la enfermedad de la que el animal es portador. Tú eres lo que comes.

Deja de tratar de convencernos de que la carne de los animales sacrificados para el consumo humano es sana, saludable, libre de antibióticos, esteroides y pesticidas, y de que han sido bien tratados y sacrificados con humanidad. ¿Pretendes convencerte de que estás comiendo «carne perfecta»? Maravilloso. Pero ¿qué estás comiendo exactamente? La «carne» es el músculo, putrefacto, descompuesto, de un animal muerto. En el momento en que el animal muere comienza su proceso de descomposición. ¿Cuánto tiempo crees que pasa entre que el animal muere y llega a tu plato? Pueden ser semanas, incluso meses. ¿Quieres poner el cuerpo de un animal muerto (que se pudre desde hace meses) en tu boca? ¿En tu cuerpo? Como la carne es tejido muscular, en un espacio abierto se oxida y se vuelve de color marrón. Por eso en muchas carnicerías le quitan la parte marrón para que se vea más apetitosa. Otro truco es iluminar la carne con luces rojizas para dar más intensidad al color de la carne.[132] Restaurantes y asadores podrán llamar a su carne «néctar de los dioses», pero en el momento en que tú lo cortas, no es más que un cadáver pudriéndose. Tú eres lo que comes.

Solo porque no eres capaz de ver lo que ocurre no digas que no ocurre. Cada vez que sientas deseos de comer carne o lácteos, recuerda lo que pasa dentro de un matadero, en las plantas de procesamiento o en los supermercados y tiendas de comestibles. Linda McCartney no pudo decirlo con más claridad: «Si los mataderos tuvieran muros de cristal, todos nos haríamos vegetarianos».[133] Para buscar estímulos para seguir un nuevo camino y estilo de vida, visita GoVeg.com y pide un kit de principiante. Es sin cargo.

Bueno, desde ahora, eres oficialmente vegana, alguien que no come productos de origen animal. Ni carne, pollo, cerdo, pescado, huevos, queso o mantequilla. Siéntete orgullosa por ello. Sí, es un difícil desafío dejar todos esos alimentos, pero podrás recibir la recompensa «kármica» gracias a ello. Y estarás delgada y en forma. Para empezar, evitarás la muerte de noventa animales al año.[134] Además, todos los expertos en medio ambiente coinciden en que la industria cárnica daña gravemente el entorno. Por ridículo que suene, el metano proveniente de los eructos y pedos de diez billones de animales al año es directamente responsable del calentamiento global.[135] La orina y las heces contaminan los acuíferos subterráneos de Estados Unidos. Según la Agencia de Protección Medioambiental, estas granjas son las principales responsables de la contaminación de las aguas subterráneas.[136] Además, la cantidad de tierra, alimentos, agua y energía utilizada para criar a diez mil millones de animales al año para la industria de la carne *podría servir para alimentar a todas las personas del mundo que padecen hambre.* Hacerte vegana, no lo dudes, es un paso más para acabar con el hambre en el mundo. Es una decisión que afectará tu presente y tu futuro.

Ahora no puedes comer vacas, ni pollos, ni cerdos, ni pescado, ni leche, queso o huevos. ¿Qué diablos comerás ahora? Todo lo demás: frutas, verduras, legumbres, frutos secos, semillas y semillas germinadas, y granos integrales. En el fondo, sabes de sobras cuáles son los mejores alimentos para ti. Ahora es el momento de tomar el camino correcto. Nuestra manera de comer se ha alejado de lo que necesitamos: hemos convertido a la carne en el centro de nuestra alimentación, mientras que las legumbres, verduras y hortalizas han quedado en un triste papel secundario. Error absoluto y total. Hay una gran cantidad de alimentos saludables, completos y sabrosos que hemos dejado de lado por años. Pero esos días han terminado.

¿Puedes recordar el momento cuando, en el colegio, aprendiste lo que era la fotosíntesis? Las plantas almacenan la energía del sol, energía que recibimos al comerlas. Intenta visualizar la energía del sol que reciben las verduras y las frutas; cuando ingerimos esos alimentos, trata de imaginar esa energía que se transmite a nuestro cuerpo. Nuestro sistema nervioso se sostiene y estimula gracias a esa energía. ¡Qué extraordinario regalo de la naturaleza, ser capaces de comer tantos alimentos puros que dan tanto a nuestros cuerpos!

Sin embargo, debéis saberlo, las frutas y vegetales no son todos iguales. Las plantas necesitan vitaminas y minerales para funcionar y crecer de la forma adecuada. Cuando son rociados con pesticidas y crecen en un suelo tratado químicamente, no absorben todos los nutrientes necesarios. Esto causa la pérdida de enzimas. Por eso, las frutas, verduras y hortalizas biológicas, que han crecido en un suelo limpio y sin la contaminación de pesticidas tienen muchas más enzimas que las crecidas en las huertas que sí los utilizan.[137]

Cualquier científico os puede decir que los alimentos tienen una «vida» o «energía» dentro de sí. Cualquier persona con sentido común puede ver que comer una fruta, fresca y viva, es mucho más saludable que comer una fruta cocida, azucarada o envasada. ¿Por qué? porque esa «vida» proviene de la energía de las plantas, de sus nutrientes, fitoquímicos y enzimas. Las enzimas son factores bioquímicos vivientes que necesitamos que sobrevivan. Son esenciales para la digestión, el embarazo, la reproducción y el funcionamiento del ADN y el ARN. Las enzimas ayudan a curar y cicatrizar nuestros órganos, desintoxican nuestro cuerpo, nos facilitan la transmisión de nuestros impulsos nerviosos y nos ayudan a pensar.

Hay tres tipos de enzimas, digestivas, metabólicas y dietéticas o de los alimentos. Afortunadamente, producimos nuestras propias enzimas metabólicas, que recorren todo el cuerpo, manteniendo nuestra salud y defendiéndonos de las enfermedades y las infecciones. Pero nuestro propio suministro de enzimas es limitado. Por eso, para continuar con nuestras funciones corporales en buen estado, necesitamos el suplemento que obtenemos de la comida. Cuando comemos, nuestro cuerpo libera enzimas digestivas que contribuyen a disolver los alimentos. Si ingerimos alimentos desprovistos de enzimas, como la carne, los alimentos procesados o los alimentos demasiado cocinados (las temperaturas altas destruyen las enzimas), nuestro cuerpo debe trabajar más de la cuenta.[138] Y trabajar más significa gastar más de nuestras preciosas enzimas. Con el tiempo, esto puede acarrear el agrandamiento de los órganos del aparato digestivo y de las glándulas endocrinas. Hay estudios que han demostrado que es un fenómeno asociado a la obesidad.[139] Este déficit de enzimas incluso puede causar una disfunción en la capacidad del cuerpo para producir sus propias enzimas. Pero cuando comemos alimentos ricos en enzimas, como frutas, ensaladas, verduras al vapor, nuestro cuerpo recibe una dosis extra de enzimas y no tiene una digestión tan trabajosa. Los mejores defensores de nuestro cuerpo son las enzimas. Cuando no se utilizan para la digestión, las enzimas trabajan para reparar y limpiar nuestro cuerpo.[140] ¡Así que no desperdicies tus enzimas cuando vas al baño!

Entonces, ¿cómo podemos proveer de enzimas a nuestro cuerpo? Solo necesitamos que los siguientes alimentos sean parte de nuestra dieta diaria: frutas (en especial piña, papaya, bananas y mangos), verduras crudas o cocidas moderadamente al vapor, frutos secos y semillas, germinados, algas, ajo y legumbres.[141] Los zumos son ideales para desintoxicar nuestro cuerpo y contienen muchas enzimas.[142] Comprar un bidón de zumo en el supermercado no es tan beneficioso como preparar zumo fresco cada día. Los zumos envasados están pasteurizados, y el calor destruye las enzimas. Pero ten por seguro que es mucho mejor beber zumos envasados que bebidas gaseosas. Si no tienes tiempo o disposición para prepararte tus propios zumos, hazlo lo mejor que puedas.

Bueno. Aquí lo tienes. Verduras y frutas son la respuesta. Y a menos que seas una idiota que quiere enfermar de cáncer, sufrir obesidad o disfunciones orgánicas, el camino a tomar es el de lo orgánico. Tú eres lo que comes.

CAPÍTULO 7

Mitos y mentiras sobre las proteínas

S i nos dieran un céntimo por cada vez que un carnívoro nos pregunta: «¿Y tú de dónde sacas proteínas?», ahora seríamos más ricas que Bill Gates. ¿Has escuchado alguna vez en tu vida, una, al menos una vez, el caso de alguien que padezca una deficiencia de proteínas? ¿Alguna vez has visto a un elefante, una cebra o una jirafa pidiendo a gritos una dosis de proteínas? Si por algún motivo la mente se te ha quedado en blanco mientras leías los tres últimos capítulos, deberías saber que:

No es cierto que los seres humanos necesitemos una ingesta masiva y permanente de proteínas. El exceso de proteínas (y especialmente de proteínas animales) puede afectarnos los riñones ya que provoca que filtren calcio, zinc, vitamina B, hierro y manganeso de nuestros cuerpos; además es causa de osteoporosis, enfermedades cardíacas, cáncer y obesidad. Las grandes ingestas de proteínas pueden dañar nuestros tejidos, órganos y células, contribuyendo a un envejecimiento más rápido.[143] ¡Ah! Y debes saber lo siguiente: gente de otros países y culturas, que consumen menos de la mitad de las proteínas que nosotros, viven vidas más largas y saludables.[144]

Pero aunque en grandes dosis pueden ser perjudiciales, las

proteínas son vitales para nuestra salud. Las proteínas producen enzimas, hormonas, neurotransmisores y anticuerpos, reemplazan las células muertas y transportan diferentes sustancias por todo nuestro cuerpo, además de ayudar en su crecimiento y reparación.[145]

Pero ¿qué cantidad de proteínas necesitamos en realidad? Bueno, la respuesta puede variar entre 18 y 60 gramos al día, según a quien le hagas la pregunta. Pero una cosa es cierta: los vegetarianos no tienen motivos para asustarse. Investigadores de Harvard han observado que los vegetarianos cuentan con las cantidades apropiadas de proteínas en sus dietas.[146] La *American Dietetic Association* (Asociación Americana de Dietética) informa que seguir una dieta vegetariana provee de más del doble de las proteínas que nuestro cuerpo necesita diariamente.[147] En su libro *Optimal Health*, el doctor Patrick Holford explica que «mucha gente está más expuesta a problemas de salud por ingerir un exceso de proteínas que por consumir menos de las necesarias».[148]

¿Y cómo ingerimos proteínas los veganos? Muy sencillo. Comemos lentejas, fríjoles, avellanas, tofu, y sucedáneos de queso y de carne. Cuando llevas una dieta equilibrada, basada en estos alimentos, tienes garantizada la ingesta diaria de las proteínas necesarias. Por ejemplo, para la cena, si comes una hamburguesa de soja con pan de harina integral, acompañado con aguacate y tomate y una pequeña ensalada, estarás tomando 22 gramos de proteínas. ¿Ves qué fácil? Si quieres una cantidad extra, puedes tomar espirulina, un alga con alto contenido en proteínas y que además contiene ácidos omega 3 y omega 6, vitamina B12 (muy importante para los vegetarianos), enzimas y minerales. A su vez, fortalece el sistema inmunológico, combate el cáncer, ayuda con la hipoglucemia, la anemia, úlceras, diabetes y síndrome de fatiga crónica. La espirulina, además, contiene cuatro aminoácidos esenciales.[149]

¿Aminoácidos? Pues sí. Hay veinte aminoácidos que pueden obtenerse de la comida. Nuestro cuerpo produce once, y los restantes nueve aminoácidos esenciales se obtienen a través de la alimentación. Los aminoácidos son los «ladrillos» de las proteínas. Y es cierto, las proteínas ayudan al desarrollo muscular. Pero salvo que quieras trabajar para hacer crecer tus músculos, no necesitas grandes dosis de proteínas animales, un mito ridículo perpetuado por la «industria de la salud».

Apunta, muchos atletas de alta competición son vegetarianos: Chris Campbell, campeón olímpico de lucha libre; Keith Holmes, campeón mundial de boxeo en categoría medios; Bill Manetti, campeón mundial de halterofilia; Bill Pearl, cuatro veces Mister Universo; Andrés Cahling, campeón de físico culturismo y campeón olímpico de salto con esquís; Martina Navratilova, campeona de tenis, y la doctora Ruth Heidrich, seis veces plusmarquista y campeona de Estados Unidos en Mountain Bike, y vegana.[150]

Otro mito que debemos acabar es del de la «combinación de alimentos». Las proteínas de la carne animal son «completas», lo que quiere decir que contienen los nueve aminoácidos esenciales en cantidades similares a las que se encuentran en los músculos de los seres humanos. Los vegetales también contienen todos estos aminoácidos, pero en diferentes cantidades y proporciones. Existe la errónea creencia de que para obtener las cantidades necesarias de proteínas de los alimentos vegetales, éstos deben combinarse de una manera específica. Por ejemplo, se dice que se deben combinar el arroz y los fríjoles para potenciar su contenido en proteínas. Sin embargo se sabe que comiendo una variedad de alimentos de origen vegetal, adquirimos todos los «ladrillos» que necesitamos.

A menudo, microorganismos y células recicladas en nuestro tracto intestinal generan proteínas completas para nosotros.[151] Todo lo que debemos hacer es comer de forma saludable y balanceada.

Y una parte integral de una dieta sana y equilibrada es la grasa. No te tires de los pelos. Grasa no quiere decir engordar. Los ácidos grasos esenciales nos dan la energía que contienen y nos protegen contra las enfermedades del corazón, el infarto y la presión arterial. Además combaten las alergias, los síntomas premenstruales, la artritis y los problemas de piel.[152] Nuestros extraordinarios cuerpos producen todos los ácidos grasos esenciales que necesitamos, excepto dos: los ácidos linoleico y linolénico, conocidos también como omega 3 y omega 6.[153] Estas «grasas buenas» se encuentran en los aceites de oliva, sésamo, canola, lino, cáñamo, onagra, en las nueces enteras, los germinados y en los aguacates. Deja ya de escuchar a todos esos ignorantes que cuestionan las avellanas, las nueces, los aceites o los aguacates argumentando que engordan. Aunque son ricos en grasas, no engordan (a menos que comas cantidades exorbitantes de alguno de ellos). Las grasas saturadas, presentes en la carne, la leche y en los aceites hidrogenados son los que nos hacen engordar. Piensa en el origen, en la proveniencia de las grasas y los aceites, y usa la cabeza. ¿Realmente piensas que el aguacate, que es ni más ni menos que una fruta, te va a convertir en un hipopótamo? Sentido común, chicas.

CAPÍTULO 8

Hacer caca

Ir de vientre. Ciscar. Defecar. Sacar los niños de la piscina. Admítelo: uno de los placeres más grandes de la vida es sentarte en el «trono» y dejar una enorme boñiga. Pero ir de vientre no es algo banal. Es una de las herramientas fundamentales para perder peso y tener una salud óptima. Matemática básica, nenas. ¿Cuántas cosas entran por tu boca y cuántas salen por tu trasero? Ahora que has aprendido cuáles son los alimentos saludables y cuáles son los indeseables que debes dejar de lado, tienes que intentar funcionar como un reloj en el lavabo. Pero si no es así, si solo consigues expulsar pequeñas bolitas como las de las ovejas, es que tenemos que hacer algo más.

Un poco antes decíamos que beber mucha agua ayuda a que nuestro cuerpo se limpie de residuos indeseables. Y queremos volver a poner énfasis en la importancia de beber agua. Bebe, bebe, bebe. Pero si quieres ir de cuerpo como si fueras un *Tiranosaurus Rex*, es imprescindible que comas alimentos ricos en fibras, como los granos de cereales integrales y panes integrales, arroz rojo, maíz, cebada, centeno, alforfón (también llamado trigo sarraceno o trigo negro), mijo, avena, frutas, vegetales (especialmente los tubérculos, como la zanahoria), fríjoles, semillas y germinados. Descarta los alimentos que no contengan, o que contengan cantidades muy bajas de fibra, como la carne, los huevos, el queso, la leche, así como los alimentos procesados o refinados. Esto puede causarte estreñimiento. Ah. Y es un mito que las bananas lo provoquen. Cómetelos.

La fibra no solo sirve para regular nuestro ciclo intestinal. Además, nos protege de la apendicitis, candidemia, enfermedades cardíacas, presión alta, colesterol alto, diabetes, cálculos biliares, síndrome de colon irritable y colitis.[154] Los alimentos ricos en fibra normalizan nuestro nivel de azúcar en sangre, sacian y quitan la sensación de hambre, y nos hacen sentir satisfechos sin necesidad de comer más de la cuenta.[155] La fibra natural de los alimentos además previene la aparición de cáncer de colon y de recto, cáncer de próstata y cáncer de mama. ¿Por qué? Porque si no evacuamos a menudo, los restos en descomposición de los alimentos se quedan en nuestro cuerpo, lo que contribuye a crear un medio ácido, que es donde se desarrollan las células cancerígenas. Así que come tus fibras, y regula tu ciclo intestinal como un reloj de precisión.[156]

Otra manera de hacer que tu intestino funcione bien es prestar especial atención al orden en que ingieres los alimentos. Por ejemplo, los alimentos que se digieren con rapidez y facilidad deben ser ingeridos solos y preferiblemente por la mañana temprano. Fruta en el desayuno. Ensalada y/o vegetales para la comida. Estos alimentos pasan a través de tu cuerpo a toda velocidad. La cena puede ser la comida más importante. Sigue estos sencillos consejos y podrás notar la mejora en el aspecto y consistencia de tus deposiciones. Y si eres la reina de las deposiciones perfectas, puedes saltarte este párrafo.

Si por casualidad necesitas un empujón extra, aumenta tu ingesta de fríjoles. Ten cuidado: si no vas con medida puedes llegar a encontrarte una «sorpresa» en los pantalones. Si no estás acostumbrada a los fríjoles, ve poco a poco y cuenta con un lavabo cerca.

Si con todo esto aún no es suficiente, no pienses en laxantes. Sí, es cierto que te hacen ir de cuerpo, pero no resuelven el problema subyacente: ¿por qué no vas de cuerpo por la mañana y con regularidad? Ojo. Muchos laxantes son irritantes gastrointestinales, incluso los naturales.[157] Deja de buscar soluciones instantáneas. Continúa bebiendo mucha agua, haz ejercicio, y come correctamente.

CAPÍTULO 9

No seas tan confiada: los organismos de control del gobierno no se preocupan por tu salud

El USDA no es lo que creíamos

El presidente Abraham Lincoln fundó el Departamento de Agricultura de Estados Unidos (USDA) en 1862, cuando la mayoría de los habitantes del país eran agricultores y necesitaban intercambiar información respecto a semillas y cultivos. En otras palabras, el USDA fue creado para ayudar a agricultores y campesinos.

Según afirman en su página web, en la actualidad y entre otras cosas, el USDA es el responsable de la seguridad del consumo de carne, pollo y huevos y sus derivados.[158]

Mmm. Pero digan lo que digan, algo suena desafinado... Fijaos. Muchos de los altos cargos del USDA trabajan para las grandes empresas de carnes y lácteos, o están, de una manera u otra, asociados a ellas.[159] Y el grupo responsable de la higiene y seguridad de la carne, el pollo y los huevos, es, ¡oh casualidad!, parte de las mismas industrias de las que, supuestamente, ellos deberían protegernos. Bueno, es lo que se llama un conflicto de intereses, un enorme, absurdo, trágico y catastrófico conflicto de intereses. Hay muchos ejemplos: un antiguo secretario del USDA fue forzado a dimitir por haber aceptado obsequios corporativos ilegales de siete compañías diferentes. Fue imputado por treinta y nueve delitos graves, incluidos los cargos de coacción de testigos, de aceptar sobornos, levantar falso testimonio y violar el *Meat Inspection Act* (Ley de Inspección de la Carne) de 1907. ¿Sabéis lo que pasó? Tyson Foods, una de las compañías que admitió haber sobornado al secretario corporativo, fue condenada a pagar cuatro millones de dólares en multas y a cuatro años de probatoria, es decir, de trabajo bajo inspección permanente. Pero no nos engañemos, se trató de una mera reprimenda, porque poco después el USDA firmó un contrato con Tyson para vender alimentos a las bases militares y a las escuelas. Fue algo verdaderamente llamativo, sobre todo si consideramos que Tyson vendió más de 10 millones de dólares en suministros para el Departamento de Defensa de Estados Unidos. Y hablamos solo de 1996.[160] Pero amigos, no todo se acaba aquí.

La Secretaria de Agricultura del presidente George Bush, Ann Veneman, no solo estuvo relacionada entre 2000 y 2005 con la compañía responsable de la producción de la controvertida hormona para el engorde de ganado, llamada «Hormona de Crecimiento Bovino» o BGH, sino que además tenía relaciones con una de las mayores empresas de envasado y distribución de carne de todo el país.[161] Pero el engaño sigue. Ella empleó a una consejera que era la jefa de relaciones públicas de Cattlement's Beef Assotiation (Consejo Nacional de Ganaderos), y a un jefe de departamento que solía ser su director general, así como a quien fuera el anterior presidente del National Pork Producers Council (Consejo Nacional de Productores de Cerdos) y a antiguos ejecutivos de empresas de envasado y distribución de carne. Y solo hemos citado una mínima parte.[162]

¿Seguridad alimentaria? ¡Ja-ja-ja!

Sabiendo esto, no resulta extraño que Veneman haya vetado el programa que pretendía someter a todo el ganado a una prueba para la detección de la encefalopatía espongiforme bovina, más conocida como enfermedad de las vacas locas. De hecho, de entre los 35 millones de animales sacrificados y destinados al consumo durante el 2003, el USDA solo realizó las pruebas a 20.000 animales. En el lado opuesto está Japón, que realizó la prueba al total del ganado sacrificado para el consumo humano.[163]

Por supuesto, ningún ganadero de Estado Unidos estaba dispuesto a que se le realizara la prueba a todo su ganado, ya que si estuviera infectado con la enfermedad de las vacas locas, no podrían vender su carne y perderían importantes cantidades de dinero. Y no soñéis con que el USDA arriesgue las ganancias de los ganaderos. Por eso, para guardar las apariencias y dar la imagen de que se tomaban medidas de prevención contra la enfermedad de las vacas locas, el USDA cita repetidamente una prohibición de la FDA, que impide que se alimente al ganado vivo con alimentos balanceados que contengan carne tratada con la hormona del crecimiento. Pero no debemos dejarnos engañar. Se trata de un gran embuste. Prohibir el canibalismo es un imposible, además de un engaño. Entonces, ¿por qué ambos aparecen prohibiendo el canibalismo mientras siguen administrando sangre vacuna a sus terneros? Stanley Prusiner, premio Nobel por su trabajo sobre la enfermedad de las vacas locas, se refiere a esta práctica como una «idea verdaderamente estúpida».[164] Piensa en ella: una vaca muere de la enfermedad de las vacas locas, pero nadie lo sabe, porque esa vaca no formaba parte del 0,000571 por ciento de ejemplares examinados. En la actualidad, los productores de ganado tienen prohibido utilizar los restos de los animales muertos para mezclarlos con los alimentos que se proporcionan al resto del ganado. Pero sí pueden mezclar la sangre del animal muerto con los alimentos. Y esta repugnante práctica es, además de asquerosa y engañosa, peligrosa.

El USDA también hace referencia a otra práctica de «seguridad alimentaria», llamado *National Animal Identification System* (NAIS, Programa Nacional de Identificación de Animales). El NAIS es un sistema que permite conocer el origen de cada animal, y si se encuentra que su carne está contaminada, puede ser devuelto a una granja especial. Se olvidan de las pruebas preventivas e implementan un sistema que permite retirar los animales enfermos después que hayan contagiado a los consumidores humanos. La participación en este programa es voluntaria.[165] Hala. Un aplauso. Para garantizar la sanidad de la carne que se come en Estados Unidos, el USDA ha pensado unas reglas de lo más curiosas.

El sitio web del USDA indica que el NAIS, en la actualidad, está en una sección «confidencial». ¿Por qué? Para asegurarse de que la información solo pueda ser usada en asuntos de salud animal, esa es la excusa. Allí podemos leer: «El NAIS contiene información necesaria para que los funcionarios encargados de la salud animal estén preparados para detectar a los animales sospechosos y a otros animales que puedan haber estado expuestos a la enfermedad...». El USDA es la oficina estatal que más trabaja para mantener la confidencialidad de los datos.[166] ¿Qué diablos pasa? ¿El USDA protege la confidencialidad de los datos de las granjas industriales que proveen al público de carne contaminada? ¿Y por qué no le obsequian con una felación a los productores, directamente, sin disimulos?

Pero muchos consumidores ya están sobreaviso y saben que no pueden confiar en el USDA. Según la *Organic Consumers Association* (Asociación de Consumidores de Alimentos Orgánicos) «Lester Friedlander, un antiguo cargo de la sección de veterinaria del USDA, cuenta que fue citado por la cúpula del USDA, poco antes de 1991, para que testimoniase que nunca encontró evidencias de la presencia de la enfermedad de las vacas locas, de lo contrario, le aseguraban "que no contaría el cuento". Él y otros científicos afirman que conocen casos en los que los animales examinados habían dado positivo en los análisis de laboratorios privados, pero que el resultado aparecía negativo en los certificados extendidos por el USDA».[167] Creer o reventar.

A las terneras se les administra, regularmente, hormonas del crecimiento, aunque se sospecha que son las responsables del desarrollo de células cancerígenas en los seres humanos que las ingieren. El USDA no solo fue acusado de hacer la vista gorda a estas prácticas, sino además de falsear los resultados de los laboratorios, de modificar los registros y de presionar a sus empleados para mentir respecto a estos asuntos.[168] Ni siquiera los insensibles y egoístas que comen carne se merecen esto.

Los negocios primero

Ningún ciudadano norteamericano se ha librado de ser engañado, durante todos estos años, por la omnipresente *Guía de Alimentación y Pirámide Alimentaria*. En 1998, la *Physicians Committee for Responsible Medicine* (PCRM, Comisión de Médicos por una Medicina Responsable) inició acciones legales contra el USDA y el *Departament of Health and Human Services* (Departamento de Salud y Servicios Humanos). El PCRM afirmaba que las leyes federales habían sido quebrantadas cuando do el USDA seleccionó, entre once candidatos, a seis personas que tenían relaciones con diversas empresas de la industria alimentaria, para confeccionar la *Guía de Alimentación y Pirámide Alimentaria*.

El comité estaba formado, entre otros, por el *American Meet Institute* (Instituto Americano de la Carne), el *National Lives-*

tock and Beef Board (Consejo Nacional de Ganado Vacuno), el *American Egg Board* (Consejo Americano del Huevo), el *National Dairy Promotion and Research Program* (Programa de Promoción e Investigación de Productos Lácteos), el *National Dairy Council* (Consejo Nacional de Industrias Lácteas), la compañía Danone, el Mead Johnson Nutritionals (fabricante de leches de sustitución y continuación), Nestlé (leches de sustitución y continuación, helados y leche condensada), y Slim Fast (Adelgaza Rápido), un fabricante de productos dietéticos basados en la leche.[169] ¿Cómo se atreven?

En una nota al pie, la PCRM señalaba que las *Dietary Guidlines* (Guías Dietéticas) –que recomienda los productos lácteos– tenía un sesgo racista, porque buena parte de los miembros de la población no blanca tenían intolerancia a la lactosa.[170] Según Johnson y Johnson, padece intolerancia a la lactosa más del 50 por ciento de la población estadounidense de origen hispano, el 75 por ciento de los nativos americanos, el 80 por ciento de los afroamericanos, y el 90 por ciento de los estadounidenses de origen asiático.[171] ¿Por qué Johnson y Johnson se preocupa por los millones de niños que sufren intolerancia a la lactosa? Porque todos son potenciales compradores de Lactaid, un producto que comercializan para ayudar a la digestión de los lácteos. Es como decir: «Venga, no importa que tengas intolerancia a la lactosa y que tu cuerpo rechace los productos lácteos. Cómetelos igual. Solo tienes que comprar nuestra droga y ya no te sentirás enfermo». Puajjj. Solo pensarlo nos pone enfermas. ¿Quién tiene 19.000 millones de dólares? la industria lechera, y por eso tiene a la USDA comiendo de la palma de su mano.[172]

El *California Milk Procesor Board* (CMPB, Consejo de Productores de Leche de California) se estableció en 1993 con el objetivo de incrementar las ventas de leche en ese Estado. Ellos fueron los responsables de una serie de campañas dirigidas a los niños: «¿Tomas leche?» y «Leche. Ella hace que tu cuerpo crezca sano». El CMPB fue fundado por todos los productores y envasadores de leche, pero es administrada por el *California Departament of Food and Agriculture* (Departamento de Alimentación y Agricultura de California). *El National Milk Processor Promotion Board o Fluid Borrad* (Consejo Nacional para la Distribución y Promoción de la Leche) ideó la campaña titulada «Bigote de leche», dirigida a los consumidores jóvenes y adultos. El Servicio de Control de la Agricultura, perteneciente al USDA, es el administrador del *Fluid Board*.[173] ¿Conclusión? Esto quiere decir, ni más ni menos, que el Departamento de Agricultura de California y el USDA sostienen campañas de promoción de la industria lechera. Bajo el pretexto de cuidar la salud, pusieron al presidente Bill Clinton en sus carteles de promoción, sin su consentimiento, mientras se encontraba de viaje oficial fuera del país. Y no solo eso. Además tuvieron la audacia de fichar a la secretaria de Salud y Servicios Humanos, Donna Shalala, para aparecer en las fotos de la campaña con un estúpido «bigote de leche».[174] Shalala utilizó su título y estatus para promover un producto comercial. ¿Y por qué no aparecer ahora en comerciales de Pepsi o Nike? Os lo diremos sin pelos en la lengua: conflicto de intereses. En ese acto estaba nada más y nada menos que el inspector general de Sanidad de Estados Unidos. En su primer informe sobre «el estado de los huesos de la nación», advirtió sobre la peligrosa aparición de lo que llamaron una «crisis de osteoporosis», que estallaría en el año 2020. Para prevenir este posible desastre, a este hombre no se le ocurrió nada mejor que recomendar la ingesta de tres vasos de leche al día.

¿Quien llevó a cabo el informe? El Departamento de Salud y Servicios Humanos.[175] Increíble pero real. Los horrores cometidos por el USDA podrían llenar un libro entero. Pero no nos sorprendería. Aunque saben que esto no forma parte de su misión establecida por la ley, el USDA admite que le ha sido encargado «ayudar a los granjeros y ganaderos del país.»[176] La misma USDA que debe ser responsable de la seguridad de alimentos como la carne, la leche o los huevos, es el encargado de promover su venta. Ya puestos, podrían ir más lejos y comprar todos sus productos con el dinero de nuestros impuestos. El USDA gasta treinta millones de dólares al año en excedentes de carne. Otros treinta millones de nuestro costoso dinero se van a la compra de cerdos.[177] Jolines. Para estas industrias debe ser maravilloso tener un USDA para hacerse cargo de los excedentes en la producción. Pero ¿qué tienen que hacer, exactamente, con todos esos alimentos por los que ya hemos pagado?

Todo en un día de trabajo

Poca gente ha escuchado hablar del NSLP en Estados Unidos, *National School Lunch Program* (Programa Nacional de Alimentación Escolar). Es un plan de ayuda del Estado que aporta 4 billones de dólares para que el USDA adquiera carne, leche y queso con el dinero de los impuestos de los ciudadanos estadounidenses. El objetivo: meter todo eso en los cuerpos de veintiséis millones de escolares.[178] El NSLP da beneficios directos a las industrias de la carne, de la leche y avícola, a costa de los niños y de su salud.

En 1999, una enorme planta de envasado y distribución de carne del estado de Texas no superó los test de detección de salmonela del USDA. Todas las pruebas realizadas mostraban que más del 47 por ciento de la carne picada de la compañía contenía salmonela, en una cantidad cinco veces superior al que permitían los propios baremos del USDA. A pesar de esto, y de que la masiva presencia del virus de la salmonela indicaba altos niveles de contaminación fecal, el USDA continuó autorizando la distribución de cientos de toneladas de esta carne en las escuelas. La compañía en cuestión es una de las mayores proveedoras de alimentos para los comedores escolares, lo que quiere decir que es la que suministra el 45 por ciento de la carne picada de todo el programa.[179]

Pero la cosa no acaba ahí. Más allá del problema de la contaminación fecal, y según los estudios de Michele Simon, del *Center for Informed Food Choices*, «una evaluación de los programas de alimentación estatales, muestran que el 70 por ciento de los alimentos ofrecidos en la dieta escolar exceden los niveles de grasas recomendados en los programas de orientación alimentaria de Estados Unidos.[180] Durante décadas, grupos de defensa del consumidor han cuestionado este comportamiento peligroso para la salud, en los límites de la ilegalidad.

Con el respaldo de los innumerables padres y madres, médicos y nutricionistas, se consiguió que el USDA aprobara el uso de la leche de soja y de otros alimentos de este orden en los comedores escolares. Pero el USDA (o lo que es lo mismo, la corporación de las industrias de la carne vacuna, del cerdo, del pollo y la industria láctea) no quiere saber nada de esto.

El USDA tiene quince programas de asistencia alimentaria, entre los que se cuentan programas para la atención de gente mayor, de gente sin hogar, militares, y gente sin ningún tipo de recursos económicos. Se calcula que uno de cada cinco ciudadanos estadounidenses recibe algo de este programa de ayudas, en el que se invierten 41,6 billones de dólares.[181] Dicho así, da la impresión de que el USDA se ocupa de ayudar a la gente. Sí. Los están cebando, haciéndolos engordar y enfermar, bloqueando su sistema arterial, causándoles infartos, úlceras, y distribuyendo carne, pollos y lácteos contaminados, a costa del dinero de los impuestos, o sea, nuestro dinero. ¡Pero qué generosos!

¿Orgánico o no orgánico?

Aunque el todopoderoso USDA hace y deshace a placer todo lo que tenga que ver con carne y leche,[182] también se ha atrevido a meter sus narices en nuestros productos orgánicos. En abril de 2004, el USDA hizo rápidos cambios en los parámetros de su *National Organic Program*, NOP (Programa Orgánico Nacional). La nueva reglamentación enfureció a los productores de alimentos orgánicos y a los consumidores por varios motivos: se autorizó la alimentación del ganado con piensos no orgánicos, aun a sabiendas de que contenían altos niveles de contaminación por toxinas o conservadores químicos.

Por otra parte, las vacas y los terneros que hayan recibido tratamientos con hormonas del crecimiento, antibióticos u otro tipo de drogas, están autorizados a producir leche catalogada de «biológica», si se ha dejado pasar un año desde la última administración de estas sustancias a los animales. Pero los pesticidas pueden seguir siendo utilizados aunque contengan sustancias inertes desconocidas, ya que haría falta un gran esfuerzo humano y económico para identificarlas. Y los mariscos, los alimentos para mascotas, ropa, fertilizantes y productos para el cuidado y la higiene corporal, pueden ser etiquetados como «orgánicos», sin haber sido controlados por el USDA.[183] No solo estamos en contra de todos estos cambios actuales, sino también del proceso de toma de decisiones. Según la ley, estos tipos de cambio de regulación o reglamentación requieren superar un período de evaluación pública antes de ser autorizados. Pero no hubo período de evaluación alguno, solo el anuncio de los cambios, y después de que ya se habían llevado a cabo.[184]

Según Ronnie Cummins, director nacional de la *Organic Consumers Association* (OCA, Asociación de Consumidores de Alimentos Orgánicos): «Más que trabajar por una regulación que garantice la integridad de los alimentos orgánicos, las corporaciones de granjas industriales, que quieren una parte de los 11 billones de dólares anuales que genera la industria de la alimentación biológica, intentan manipular al USDA y al Congreso de Estados Unidos, para cambiar las reglas que regulan su estilo tóxico-industrial de criar animales destinados a la alimentación humana. Alentar el consumo de alimentos no orgánicos implica un riesgo considerable para el sector de la industria alimentaria, que es el que crece con más rapidez en Estados Unidos.[185]

Pero gracias a las llamadas telefónicas, correos electrónicos y faxes de los numerosos consumidores maltratados e indignados, el USDA revirtió todos estos cambios en mayo de 2004.[186]

A pesar de esto, mucha gente todavía muestra una gran desconfianza hacia el USDA. La organización sin fines de lucro *Center for Food Safety*, CFS (Centro para la Seguridad Alimentaria), denuncia que el USDA podría estar librando certificados falsos bajo el paraguas del NOP. Sus sospechas surgieron al ver cómo se extendía un enorme número de certificaciones «bio» en muy poco tiempo. Las sospechas se hicieron mayores cuando el USDA se negó a mostrar a la CFS ciertos documentos que se habían requerido, a pesar de haberse hecho el pedido amparándose en el *Freedom of Information Act* (Ley sobre la Libertad de Información).[187]

Otros grupos ecologistas iniciaron juicios contra el USDA. Entre otras cosas, denunciaban que el NOP, perteneciente al USDA, no había creado ninguna nueva categoría de productos certificados, lo que entraba en conflicto directo con la legislación establecida por el Congreso de Estados Unidos. Declararon que: «Cuando el Congreso ha dictaminado sobre un asunto específico, el USDA no tiene el poder de reescribir el estatuto, haciendo excepciones que reduzcan los estándares del Acta».[188]
¿Puedes creerte la cara del USDA? ¿Son capaces de ir en con-

tra de las leyes, creadas por las personas a quienes nosotros hemos elegido para ello, para tratar de imponer sus propias normas? Es un motín en toda regla. No confíes en nadie.

Cuando compres cualquier tipo de alimentos orgánicos, busca las certificaciones que no sean del USDA: Oregon Tilt, California Certified Organic Farmers, Marine Organic Cerifying Agency, o la Demeter Certified Biodynamic, son todas confiables. Algunos productos pueden contar con la certificación de «orgánico» del USDA junto a la de otro organismo. En tal caso no lo descartes solo porque tenga la certificación del USDA.

Una de las marcas más presentes en las tiendas de alimentos adonde acudes a comprar es la marca Horizon. Es el más grande distribuidor de lácteos orgánicos de Estados Unidos. Es interesante que sepas que Horizon fue acusada de violar los reglamentos establecidos para los alimentos orgánicos. El Cornucopia Institute, organismo de control y supervisión de la agricultura biológica, inició dos juicios contra el USDA. Según alegaban, las dos granjas que proveían a Horizon de la mayor parte de la leche que distribuían, criaban a sus vacas en granjas industriales, confinadas y alimentadas con piensos, sin dejarlas que accediesen a los campos de pastura para alimentarse naturalmente. A pesar de esto, Horizon etiqueta sus productos como «orgánicos».[189]

¿Por qué se permite que esto pase? ¿Los funcionarios que nosotros hemos elegido no se dan cuenta de lo que ocurre? ¿Por qué no se detiene esta estafa? Algunos lo hacen. Pero un buen número de políticos comparten cama con las peores industrias.

McDonald's, por ejemplo, entrega dos millones de dólares al año para soporte de las campañas políticas; el Consejo Nacional de Ganaderos, cerca de un millón y medio; la Asociación Nacional de Restaurantes más de tres millones.[190] Todo suena a cuento.

En la FDA, ¿están todos drogados?

E sa codicia inmoral no puede justificarse en ámbitos como el Congreso de Estados Unidos o el USDA. La FDA es un patético títere de las grandes compañías. En 1990, la todopoderosa empresa Monsanto consiguió que la FDA aprobara el Posilac, forma comercial de la hormona bovina del crecimiento llamada BGH o Factor de Crecimiento Bovino, y que se utiliza para que las vacas produzcan más leche. Aunque el estudio realizado relacionaba esta hormona con la aparición de cáncer de próstata y de tiroides, la FDA aprobó el uso de Posilac. Por supuesto, los irrefutables resultados de estas pruebas no se hicieron públicos hasta 1998, cuando un grupo de científicos independientes ordenaron y condujeron el análisis a fondo de este estudio. Y se encontraron con que la FDA jamás había revisado los descubrimientos de Monsanto. Más recientemente, la BGH fue relacionada con la creciente presencia de una hormona del crecimiento llamada *Insulin Growth Factor-1* (Crecimiento de Insulina Factor-1), probadamente cancerígena.

Pero la FDA no tenía ningún interés en estos hallazgos. O en el hecho de que tanto la *World Trade Organization* (Organización Mundial del Comercio) y la *United Nations Food Standards Body* (Organización de las Naciones Unidas para la Agricultura y la Alimentación) rehusaran avalar la seguridad de este producto. Y seguro que no saben, o no se han enterado, que leche contaminada por la BGH se distribuye en toda la Unión Europea, Canadá, Japón, y en todos los países industrializados.[191] Malditos cabrones.

¿Por qué la FDA añade, a sabiendas, una hormona cancerígena en la leche que consumimos? Una de las teorías más sólidas señalaba el hecho de que el segundo comisario de la FDA era, en el momento en el que fue aprobado el Posilac, un antiguo miembro del gabinete legal de Monsanto. Además, durante su permanencia en la FDA, esta misma persona formuló la regulación gracias a la que se eximía de utilizar el etiquetado especial BGH en sus productos. Al mismo tiempo, muchos dedos señalaban a un antiguo investigador de Monsanto, que fue captado por la FDA para llevar adelante su propia investigación, mientras aún trabajaba en Monsanto. Esta joya venía acompañada de un informe de más de cien páginas sobre la presencia de residuos de antibióticos en la leche.[192]

Que no cunda el pánico. Los desastres de la FDA no afectan solo a la industria de la leche. También hay una historia grotesca respecto al glutamato monosódico o MSG. Un antiguo funcionario de la FDA dio testimonio, ante el comité del Senado sobre Nutrición, que la MSG era segura, basándose en cuatro estudios diferentes. Más tarde se descubrió que dos de los estudios no existían y que los otros dos estaban incompletos.[193]

Secretos y mentiras. Era demasiado para ocultarlo. Así que decidieron establecer una suerte de «ley de silencio». ¿Nunca habéis visto las palabras «aromatizantes naturales» en la lista de ingredientes de la comida envasada?. Este término engloba una serie de sustancias que la FDA prefiere no nombrar para que nunca lleguemos a saber qué comemos o qué hemos estado comiendo. La FDA cuenta con una lista de unos 300 alimentos que cuentan con un «estándar de identidad», es decir, compañías que no están obligadas a hacer públicos los ingredientes de las comidas que envasan y distribuyen. Por ejemplo, los fabricantes de helados pueden utilizar cualquiera de unos 25 aditivos determinados sin estar obligados a hacerlos contar entre los ingredientes.[194] ¿Quién quiere meterse en el cuerpo algo que ni siquiera sabe qué es? Desde ahora, el capítulo 9 es uno de tus mejores aliados.

¡Tú eres tu mejor oportunidad!

Si quieres estar en forma, cuenta solo contigo misma. Si quieres quedarte con una y solo una cosa de este libro, que sea con esto: *Lee los ingredientes*. Olvídate de hidratos de carbono, calorías añadidas y grasas. Solo debes leer los ingredientes. No es necesario saber cuántas calorías, carbohidratos o grasas tiene algún alimento. No es importante. No necesitas que el gobierno determine tu RDA (ingesta diaria recomendada), ni que te diga cómo debes comer. Solo lee los ingredientes.

Si son saludables, puros o integrales, llévatelos. Si en ellos hay azúcar refinada, harina de trigo refinada, aceites hidrogenados o grasas de origen animal, cualquier cosa artificial, o si ves alguna palabra extraña de ésas que son imposibles de entender, no te lo comas. No podemos hacerlo de forma más sencilla. Solo lee los ingredientes y olvídate de todas las estúpidas e inútiles etiquetas que el gobierno obliga a colocar en los paquetes. A tomar por culo. No confíes en nada ni en nadie. Ponte en forma.

Y nunca, jamás, por ningún motivo, caigas en las trampas que los fabricantes nos tienden mediante los etiquetados. Las empresas que llaman a sus productos «integrales» o «nutritivos» pueden ser las mismas que añaden aceites hidrogenados, grasas saturadas, saborizantes artificiales o conservantes sintéticos. Debes leer los ingredientes de todo lo que compras. Solo eso. No es demasiado trabajo, solo debes saber leer...

Hay demasiada burocracia e intereses alrededor de las agencias de salud del gobierno, por lo que es mucho mejor no delegar y ocuparnos de nosotros mismos. Después de todo, ¿por qué íbamos a confiar el cuidado de nuestra salud alimentaria a organizaciones que utilizan colorantes alimentarios tóxicos, aceites hidrogenados, conservantes químicos y sabores artificiales?

La Agencia de Protección Medioambiental (EPA) nos pone enfermas

E l maíz Star Link, organismo modificado genéticamente, contiene una proteína insecticida peligrosa para el consumo humano. Pero la EPA permite el uso de Star Link para alimentar ganado.[195] ¿Permiten que los humanos coman animales que se alimentan de este maíz? ¿Es una práctica segura? Lo dudamos...

Y creedlo, nada es sagrado para quienes añaden gasolina de cohetes en nuestra leche. Sí, habéis escuchado bien. Gasolina de cohetes. En la leche. Gracias al Pentágono, el perclorato de amonio, el mismo explosivo utilizado como componente de la gasolina para cohetes y misiles, ha sido detectado en todo nuestro entorno durante décadas. Se encuentra dentro del agua utilizada para regar las plantaciones de semillas destinadas a la alimentación del ganado. El ganado ingiere este alimento contaminado después de lo cual da leche contaminada. Cada vez que bebes leche o consumes productos derivados fabricados con esta leche, estás consumiendo perclorato. En la actualidad, la EPA subvenciona una investigación destinada a encontrar una «dosis media e inocua».[196] Lo siento, mil perdones, pero aquí en la Tierra no hay un nivel aceptable de componentes de explosivos que se puedan ingerir. Y aunque llegaras a creer que existen cantidades que no entrañen peligro, los test revelan que su presencia es mucho más alta que lo aceptado por la misma EPA.

Estudios realizados por el *Environmental Working Group* (EWG), una organización sin fines de lucro y totalmente apolítica, encontraron que cada muestra de leche analizada en Texas estaba contaminada. El propio Departamento de Alimentación y Agricultura de California encontró que la leche que se expende habitualmente en las tiendas de alimentación tiene un nivel de presencia de perclorato cinco veces superior a la media establecida por la Agencia de Protección Medioambiental. Pero, por supuesto, el Departamento de Alimentación y Agricultura de California) no hizo públicos estos resultados. En cambio, fueron llevados para que la EWG los revisara. Y aunque tanto los productores de leche como las agencias gubernamentales eran conscientes de los enormes riesgos que entrañaba para la salud de la población continuar con el consumo de leche contaminada por percloratos, continuaron afirmando «que debíamos seguir consumiendo leche por su calcio, proteínas y minerales».[197] Saca tus propias conclusiones.

Deja de lado por un momento tu filiación política y escucha esto: la administración Bush solicita continuamente exenciones de impuestos para las compañías militares y químicas, animándolos a continuar con esta contaminación y a evitar toda responsabilidad respecto a su limpieza. De hecho, durante la administración Bush, la EPA ha sido apuntada como responsable de muchos casos de contaminación medioambiental que afectaron al consumo de agua y de alimentos. Como el USDA tiene su propio y patético programa de voluntariado, la EPA también ha creado su propia manera de pisotear la salud pública y la seguridad. Gracias a una estrecha colaboración con la *US Poultry and Egg Association* (Asociación de Criadores de Pollos y Huevos de los Estados Unidos) y la *National Pork Producers Company*, NPPC (Asociación Nacional de Productores de Cerdos), la EPA ha desarrollado un programa de seguimiento voluntario.

Las granjas industriales afiliadas a la EPA generan el 73 por ciento de todo el amoníaco (gases provenientes de los excrementos y los orines de los animales granja) presente en el aire de todo el país. Nunca olvidéis el hecho de que la EPA responsabiliza a las granjas industriales de ser el mayor contaminador de acuíferos de los Estados Unidos. Pero las granjas industriales no están obligadas a someterse al control de la EPA,[198] pero si lo desean, pueden hacerlo de forma voluntaria. Muy civilizados.

Sus oponentes argumentan que las granjas industriales aportan 3,46 millones de dólares en contribuciones de campañas electorales, beneficiando la mayor parte de las veces a los candidatos republicanos. Y la NPPC fue aún más lejos al presentar al presidente Bush como candidato al Premio «Amigo de los Productores de Cerdos» del año 2004, en agradecimiento por su ayuda para «desarrollar políticas medioambientales que favorezcan la agricultura».[199]

Fabuloso, sí, sí, gracias por todo.

No confíes en nadie

Según cuenta Eric Schlosser, autor del best seller *Fast Food Nation* (El país de la comida rápida), la administración Clinton «intentó implementar un sistema de control de alimentos con base científica».

Sin embargo, estos intentos fueron abortados cuando los republicanos pasaron a controlar el Congreso, en 1994. Schlosser revela: «Los aliados de la industria de carne envasada que están en el Congreso trabajan duramente para impedir la modernización del sistema nacional de inspección de carnes». Se hizo un enorme esfuerzo para quitar al gobierno federal cualquier autoridad que le permitiera retirar carne contaminada o para imponer responsabilidades civiles a quienes vendan y distribuyan productos contaminados. La administración Clinton finalmente respaldó la legislación que permitiría al USDA contar con la autoridad necesaria para solicitar devoluciones o imponer castigos monetarios a los envasadores de carne. [Pero] los Republicanos se ocuparon de abortar el intento y cambiaron la legislación [para los siguientes cuatro años]. De acuerdo a la legislación vigente, «el USDA no puede ordenar la retirada [de carne contaminada]». ¿Os parece posible? Si una empresa decide, de forma voluntaria, retirar carne contaminada del mercado, «no está obligada a hacerlo público ni a comunicarlo a los oficiales de salud».[200]

Bueno. Lo cierto es que no queremos decir que todos los que trabajan en reparticiones del Estado son la encarnación del demonio. Con seguridad habrá gente decente, cuidadosa, solidaria, moral, inteligente o bien intencionada, trabajando en la EPA, la FDA, el USDA o en la administración Bush. Un antiguo abogado del USDA, transformado en ecologista, decía que la EPA «no había iniciado ninguna investigación en cuatro años. No hacen absolutamente nada».[201] «¡Pero si es una buena chica! Es inspectora de la EPA.» Desgraciadamente, muchos de esos «buenos chicos» parecieran haberse perdido en el «runrun» de los políticos, con quienes, en general, acaban poniéndose de acuerdo.

Hazte pues un favor a ti misma y no confíes en nadie. Lee los ingredientes con atención. No hagas caso de nada más. Y si todo lo que veas, leas y aprendas te incomoda, te trastorna, haz algo. Habla con tus representantes, senadores, intenta hablar con las autoridades correspondientes y hasta con el vicepresidente o el presidente si fuera pertinente. Pídeles que reformen su funcionamiento. Entra a la página www.congress.org para enviar un rápido correo electrónico a los políticos. También puedes escribir una carta a los editores de tu revista o periódico favoritos, y alentar a otros a ponerse en campaña. Visita www.congress.org y haz click en *media guide* para acceder a su información de contacto.

CAPÍTULO 10

No te dejes domesticar

Y si alguien te dijera que puedes cambiar tu existencia por completo y tener el cuerpo que quieras por el resto de tu vida? ¿Y si todo lo que tuvieras que hacer fuera seguir una fórmula muy sencilla y quizá hacer ciertos sacrificios durante un par de meses? ¿Y si pudieras reprogramar tu cerebro par llegar a disfrutar de verdad de la comida sana? Bien. ¿Qué me dices? Tú puedes cambiar tu vida. Tú puedes tener el cuerpo que quieras desde ahora y para siempre. Tú puedes disfrutar de la comida sana. Todo lo que tienes que hacer es seguir una simple fórmula, y ser capaz de esperar un par de meses a sentir y disfrutar los beneficios. Unos pocos meses. Eso es todo. Después podrás disfrutar de tu nuevo cuerpo durante el resto de tu vida. No te dejes domesticar como si jugaras a ser una gatita consentida. Tienes toda la información nutricional que necesitas para convertirte en una *Skinny Bitch*. Lo demás es cosa tuya. Como se trata de un estilo de vida y no de una dieta, te parecerá una dieta durante los primeros treinta días o algo más. Durante este tiempo, tu cerebro estará reprogramándose, curando tus papilas gustativas y limpiando y desintoxicando tu cuerpo. Y esto puede costarte. Es muy probable que a momentos te sientas triste, enfadada, superada o frustrada. Pero estos escasos momentos pasajeros valdrán la pena cuando te sientas delgada y en forma. La verdad se ha dicho y si sigues nuestros consejos, no será tan duro.

Antes de que comiences a hacer cambios, analiza cómo te sientes y el papel que la dieta juega en tu vida. ¿Te levantas cansada? ¿El café es lo único que te pone a funcionar por las mañanas? ¿Por la tarde estás irritable? ¿Necesitas comer chocolate o algún tipo de snack para mantener el tipo? ¿Te quedas sin energía? ¿Utilizas las bebidas gaseosas o el azúcar para darte el empujón que te falta? ¿Tienes problemas para dormir o para conciliar el sueño? ¿O lo único que te adormece es un vaso o dos de vino? ¿Cuando comes algo pesado y poco saludable, cómo te sientes en el momento de comerlo? ¿Apenas terminas? ¿Una hora más tarde? ¿Cómo afecta esto a tu sueño nocturno?

¿Cómo te sientes al día siguiente? Presta atención a los efectos negativos de tu dieta y de tu estilo de vida habituales sobre tu cuerpo, sobre tus maneras de hacer y tu nivel de energía. Tómate el tiempo para escribir un pequeño diario, en el que registrarás todo lo que comes y bebes durante el día y cómo te sientes después de ello. De esta manera, cuando llegue el momento en el que sea posible hacer cambios positivos en tu dieta, podrás apreciar y valorar muchos otros resultados, además de haber perdido exceso de peso.

Toma conciencia de que es importante luchar por las cosas importantes. Buena salud, vitalidad, más energía, más confianza en ti misma, mejores relaciones sexuales, trasero firme, lo hayas buscado o no. Tienes dos opciones. Puedes seguir quejándote y lamentándote de llevar esa vida aburrida que llevas, aunque tú te merecerías mucho más... o puedes dedicarte por entero a crear para ti la vida que tú quieres. Y no me vengas con la excusa de que no puedes hacerlo por falta de tiempo o de dinero. Dedicas cuarenta horas de trabajo a la semana, o más si eres una madre a tiempo completo. Con seguridad, las cosas más importantes de tu vida son tu salud, tu cuerpo y «tú». Si tú no cuidas de ti misma, si no te valoras lo suficiente, tampoco lo harán tus amigos, tus compañeros de trabajo o los miembros de tu familia. Sí. Tú debes ponerte por delante de tus amigos, de tus familiares, de tu novio, de tu esposo, e incluso de tus hijos. No quiero, de ninguna manera, hacer de ti una mala madre, hija o hermana: por el contrario, esto te servirá para ser menos irritable, más confiada, interesada, bella, paciente, tolerante y mejor persona en general. Tu brillo dará luz a todos los que te rodean, impulso e inspiración para estar más brillantes. Ámate lo suficiente como para sacar lo mejor de ti.

Una parte importante de cualquier programa de recuperación de la adicción (y ten bien claro que comer de forma poco saludable lo es) es ir día a día. No te tortures a ti misma con pensamientos como «Nunca en mi vida podré volver a comer carne...» o «¿Cómo haré para vivir sin café?» Lo único que debes hacer es tomar cada comida en su momento. No pienses en el «después» con ansiedad y desesperación. Una comida a la vez. Y cuando te sientas sin fuerzas, recuerda que tú eres quien debe hacerse cargo de lo que circula por tu cuerpo, no debes responder ante nadie, y tú estás autorizada a comer lo que te dé la gana. A menudo, saber que podemos comer lo que nos dé la gana es suficiente para que dejemos de preocuparnos por comer solo lo que queremos. Somos unas rebeldes

Si te sientes fuerte y motivada, si estás lista para sumergirte por completo en el estilo de vida *Skinny Bitch*, sigamos adelante. Vamos a hacerlo. Si no estás así desde el principio, tienes toda la libertad para fijarte miniobjetivos y trata de cumplirlos uno a uno. Esto quiere decir: toma la primera semana de tu nueva vida para eliminar un vicio. Pueden ser los cigarrillos, el café, el alcohol, el azúcar o la comida basura, la carne o la leche, pero saca uno de ellos de tu vida de inmediato.

Elije algo que te guste y que disfrutes mucho, pero que puedas pensar en dejarlo con seguridad. Empieza ya. No dejes que te ganen los sentimientos de temor y pereza. Dedica esa semana a quitar ese vicio nocivo de tu dieta, de tu cuerpo, de tu cocina y de tu mente. Piensa en todo lo que has aprendido sobre él y en lo desagradable que es. Imagínate el daño que le hace a tus órganos, a tu carácter, a tu salud y a tu aspecto. Trata de saber qué es exactamente lo que comes. Percibe lo mal que te sientes, física y mentalmente, si comes «eso». Comprende que eres totalmente libre de hacer lo que quieras y que si quieres comerlo, puedes hacerlo. Pero también debes desear con cada fibra y cada célula de tu ser que los alimentos que hoy pongas en tu cuerpo sean buenos, puros y saludables. Y es aún más importante saber que ningún vicio te hará sentir feliz, lleno o satisfecho. De hecho, los vicios solo te hacen infeliz porque contribuyen a que ganes peso, a que tengas problemas de salud, inestabilidad emocional y a la pérdida de la autoestima.

Cuando lleves una semana en buena forma te sentirás satisfecha de lo que has conseguido. Enseguida, mientras tienes bajo control lo que has dejado la primera semana, empieza la segunda semana quitando de tu dieta algo de eso que te hace mal. Cada semana, mientras eliminas de tu vida venenos y toxinas, ve a por otro más. Dedica la misma energía, y cuidado que pusiste en la primera semana. Decídete a purificar tus pensamientos, tu cuerpo y tu cocina de esas porquerías que envician. Acepta que tu vida será mejor si no dejas que esos productos te contaminen nunca más. Hazte fuerte pensando qué es eso exactamente y los efectos que causa sobre tu cuerpo. Piensa en lo mal que te hace sentir cuando lo consumes. Y finalmente, recuerda que si realmente eliges comerlo, fumarlo o beberlo, no te hará sentir feliz o satisfecha.

Nunca digas o sientas que te estás «privando» de tus comidas favoritas. Esta manera de decirlo tiene una connotación negativa, y parece que estuvieras sacrificando algo. No estás *renunciando* a nada. Ahora, simplemente, tienes el poder y la capacidad de elegir de forma consciente y controlada; de elegir qué quieres y qué no quieres darle a tu cuerpo, tu templo. Ahora sabes la verdad respecto a los alimentos con que envenenas tu cuerpo, y esto es mejor que no saberlo. Deja que tu mente y tus palabras comprendan que este cambio en tu vida es positivo. La gente con actitud positiva tiene muchas más posibilidades de éxito. Alégrate por sentirte pura, limpia, saludable, con energía, contenta, y en forma. Disfruta de cada momento de esta metamorfosis, y toma conciencia de que el proceso es tan importante como la meta.

Confucio nunca dijo «Una mujer hambrienta es como un tornado de hormigas rojas y búfalos», pero podría haberlo dicho, porque es cierto. Una mujer hambrienta es una mujer loca que arrasa con todo lo que encuentra en su camino para librarse del hambre. Por eso debes estar preparada: ten siempre a mano algo de comida saludable. De otra manera, te lo aseguro, te caerás del tren casi de inmediato. Tu cocina tiene que estar provista siempre de los alimentos apropiados. Prepara tu almuerzo o comida para el trabajo o el colegio. Lleva un set de emergencia en el coche, y ten otro en tu mesa de trabajo y en tu mochila o bolso de mano. El hambre nunca debe agarrarte desprevenida. Desgraciadamente, y dependiendo de cuál sea, los restaurantes no son un sitio seguro, al menos durante el primer mes. Es muy posible que el menú no tenga opciones veganas o vegetarianas y es muy fácil sentirse hipnotizado por el seductor aroma de esas comidas. Esto no quiere decir que nunca más puedas comer fuera. Solo por treinta días. (Seguro que cerca de casa tienes algún simpático restaurante vegetariano o vegano.) Puedes cambiar tu vida con unos ajustes mínimos. Tu única prioridad es seguir, durante treinta días, la dieta que tú misma has creado. No te la saltes. Después de treinta días de comer de forma sana, sentirás que tienes lo que hace falta para llegar al final. «He sobrevivido durante treinta días. Me siento orgullosa de mí misma. Nunca me había sentido tan sana en mi vida. Si quisiera, podría volver a comer alguno de mis viejos vicios. Pero ¿por qué habría de hacerlo? Llevo treinta días y seguiré adelante. Si te haces esta pregunta antes de esos treinta primeros días, es probable que falles. Debes ser paciente y fuerte.

Cuando alcances la deseada cota de los treinta días, no te lances a atiborrarte de chucherías o comida basura. Solo debes hacer lo que estabas haciendo. Reconoce y siente todos los cambios positivos que experimenta tu cuerpo, tu nivel de energía y de autoestima. El alcohol, los cigarrillos, el café y la comida son adictivos, física y psicológicamente. Si te resignas después de los primeros treinta días, también tienes posibilidades de fracasar. En Alcohólicos Anónimos es muy conocida la frase que dice: «un trago antes del último trago...». Esto quiere decir que creemos que podemos controlar nuestras adicciones. «Solo se trata de un trago. Tomaré pizza solo por esta vez. Solo comeré media ración de pastel.» Lo cierto es que somos débiles ante nuestras adicciones. No queremos hacerte sentir que nunca más volverás a probar tus comidas favoritas. Solo queremos prevenirte de que es muy fácil dar por tierra con todos tus progresos por un simple bocado, trago o cigarrillo.

De cualquier manera, es posible que después de un mes de vida pura, si comieras eso con lo que has fantaseado durante todo este tiempo, no lo disfrutarías. De verdad. Ya has visto que tu cerebro había sido «engañado» y tus papilas gustativas también. Ahora que ellas están sanas, limpias y más sensibles, y tu cerebro sabe la verdad, esos viejos alimentos químicos, azucarados, artificiales, muertos, nauseabundos alimentos te sabrán mal, o no tan buenos como parecían.

Si decides caer en algún vicio después de los primeros treinta días, probablemente sea por debilidad o falta de preparación.

Lo que no puede ser es que te encuentres en alguna parte y pienses, simplemente, «a la mierda». Tiene que ser una elección, calculada y premeditada. La ración debe ser elegida de antemano, y puede ser más pequeña de lo que era habitualmente, y además debes servirla en un plato, ya que es mejor sacrificar el envase antes de comer. Siéntate a la mesa. Come muy despacio. No intentes acabarlo enseguida. No comas nada más. Toma nota de cómo te sientes mientras lo comes, inmediatamente después, una hora después, por la noche en la cama y al otro día. Ahora que tu cuerpo está más limpio, es posible que sientas náuseas, malestar, dolor de cabeza. Y es probable que no sepa tan bien como tú te imaginabas. No descartes ni olvides las sensaciones negativas que te ha provocado. El que habla es tu organismo, un cuerpo más saludable, puro y limpio.

Pero ya está bien de melodramas. No decimos que estarás hambrienta y cabreada para toda la eternidad. Somos conscientes que quienes llevan adelante una dieta se quiebran cuando sus alimentos preferidos pasan a la lista de los prohibidos. Por eso nosotras hemos desarrollado el plan «Delgada, orgullosa y descarada» para que puedas seguir disfrutando de tus galletas, pasteles, chocolates, hamburguesas, helados, etcétera. Solo que no son los mismos que has utilizado hasta ahora. No perderás nada. Solo estás entregando, en parte de pago, tus viejos y grasientos alimentos. Buen negocio. Tus nuevos alimentos están buenísimos, así que no me vengas con cosas como «qué rutina tan aburrida». No compro.

La única pregunta que resulta más irritante que la archirrepetida «¿Entonces de dónde sacas las proteínas que necesitas?», es la siguiente afirmación: «El cuerpo me está pidiendo carne, debo necesitar hierro». Muchos antojos o deseos repentinos no son indicadores reales, o confiables, para saber lo que nuestro cuerpo necesita. A los fumadores se les antojan los cigarrillos, a los alcohólicos el alcohol, a los drogadictos las drogas, y a los comedores de comida basura se les rompe la hiel por la comida basura. Si comes comida basura durante unos cuantos días, y comienzas a desear una ensalada o una pieza de fruta, eso será un deseo irracional en el que puedes confiar. De otra forma, la que habla es tu adicción. Dale la espalda y concédete una oportunidad. Pero primero intenta entender y reconocer tu adicción.

Nuestros cerebros están equipados con una sustancia esencial para nuestra supervivencia: la dopamina, una sustancia que produce nuestro organismo y que es la que provoca sensaciones placenteras. La dopamina se segrega durante el acto sexual (o incluso durante la seducción) y, gracias a eso, nos hemos procreado y la raza humana no ha desaparecido del planeta. Y los alimentos estimulan la producción de dopamina para que recordemos que debemos comer para nutrir nuestros organismos. Cuando nuestro cerebro percibe algo que es agradable, hace que la dopamina se acumule en nuestras células cerebrales y así se construye un «rastro» de memoria permanente que nos indica de dónde proviene ese placer. Pero aunque es un mecanismo de supervivencia, a veces puede ser algo negativo. Heroína, cocaína, alcohol y nicotina, detonan los mecanismos cerebrales de placer. Pero también lo hacen el chocolate, el azúcar y el queso. Como puedes ver, es posible ser «psicológicamente» adictos a la comida. Cualquier alimento puede disparar el centro cerebral del placer. Algunas tenemos la fortuna de poder vivir la sensación de éxtasis que provoca la dopamina mientras comemos brócoli, y estamos realmente «enganchadas» a este saludable alimento. Pero el tipo de alimentos y el grado de placer que nos proporcionan varían según cada individuo. El truco consiste en «resetear» los centros de nuestra memoria para sentir placer al comer alimentos sanos, y no al atiborrarnos de comida basura.[202]

Sí. Lo sabemos. Es mucho más fácil decirlo que hacerlo. Sobre todo para las personas adictas al tabaco, al alcohol, las drogas, o para las que padecen problemas de obesidad o sobrepeso.

Los estudios nos muestran que esas personas cuentan con menos receptores de dopamina que el resto de las personas. En el momento en que se ponen en marcha los mecanismos de placer de origen químico, las células cerebrales tienen una capacidad más reducida de almacenar dopamina, por lo que les resulta más difícil experimentar sensaciones placenteras. Y como les cuesta más alcanzar esas cotas de placer, tienden a fumar, beber, tomar drogas, o a comer demasiado. Pero no. Ahora no emitas un autodiagnóstico que te coloque entre quienes asumen que nunca llegarán a sentirse saludables y bien del todo. No debemos sentir compasión de nuestros cuerpos. Nosotras debemos ser sus guías.[203]

A no ser que comamos queso. El queso puede dominar nuestra vida y engordar nuestros traseros, a no ser que nos quitemos esa adicción. ¿Os sorprendemos? En la actualidad, en Estados Unidos, en la leche se han encontrado restos de morfina. Y por esta vez, no podemos culpar a las granjas industriales. La morfina, junto a la codeína y otros opiáceos, es producida naturalmente por el hígado de los animales y de los humanos, y contiene caseína, una proteína que se separa durante la digestión y que genera gran cantidad de opiáceos. Todas esas sustancias químicas generadoras de sensaciones de placer se producen para que los terneros se alimenten y crezcan, y para crear un lazo entre la madre y su bebé.[204]

¿Estás preparándote para tomar la foto? Cuando una mujer amamanta, su leche tiene un efecto aún más fuerte en el bebé. El bebé queda totalmente colocado. Si llora no es solo porque tenga apetito, sino porque necesita «una dosis» de esa placentera sensación producida por los opiáceos. La naturaleza nos garantiza de esta forma que nuestros hijos se alimenten y crezcan. Y cuando ellos alcanzan cierta edad, los destetamos, y dejamos de darles esas «drogas». Y ellos se encuentran bien. Pero cuando los volvemos a hacer consumir leche de vaca, favorecemos que nazca una nueva adicción.

Los derivados de la leche contienen caseína, y en el queso es donde se encuentra la mayor concentración. De hecho, en el queso hay más caseína que la que se encuentra naturalmente en la leche de vaca. Además contiene feniltelilamina (PEA), una sustancia similar a la anfetamina. Por eso, cuando tu hijo o hija se acerquen y te digan «soy adicto al queso», no pienses que se trata de una broma, es cierto. Somos químicamente adictos a los quesos.[205]

La caseína también se encuentra en el queso de soja. Los fabricantes la utilizan para elevar el contenido proteico, para ayudar a que se funda, o porque saben de sus propiedades adictivas. Por eso, si ves la caseína en la lista de ingredientes, no lo compres.

Los quesos de Follow Your Heart Vegan Gourmet son totalmente vegetarianos y libres de caseína. ¡Disfrútalos!

En la leche de vaca se ha identificado la presencia de las siguientes hormonas y químicos: prolactina, somatostatina, melatonina, oxitocina, hormonas del crecimiento, hormonas luteinizantes o lutropina, calcitonina, hormonas paratiroideas, hormonas liberadoras de tirotropina, hormona estimulante de la tiroides, péptido intestinal vasoactivo, corticoides, estrógenos, progesterona, insulina, factor de crecimiento bovino, eritropoyetina, bombesina, neurotensina, motilina y colecistocinina.[206] Si piensas que tu voluntad es suficiente para ganarles la batalla a todos estos hijos de puta, no debes estar en tus cabales. Los lácteos engordan[207] y si tú los comes, nunca llegarás a estar en forma. No puedes controlar tu adicción. No puedes comer ni una sola porción de pizza ni poner queso solo para las fiestas y festejos. Estás a solo un bocado de queso de la recaída. Come productos sustitutivos y supera la adicción.

Nuestro cuerpo produce diferentes sustancias químicas que ayudan a moderar nuestro apetito. Una de esas hormonas, la leptina, es segregada por nuestras células grasas. Cuando las células grasas de nuestro cuerpo están alimentadas de la manera adecuada, proporcionan leptina a la sangre con dos propósitos: el primero, es avisar al cerebro que debe disminuir la sensación de apetito; el segundo, animar a las células a quemar calorías con más rapidez porque nuestro metabolismo está saturado. Parece perfecto, ¿no? Hasta que comenzamos «la dieta». Las típicas dietas «bajas en calorías» confunden a nuestro organismo, ya que le hacen creer que sigue hambriento. Entonces, nuestras células grasas bajan su producción de leptina, para ayudar a incrementar nuestro apetito. ¡Nos sentimos hambrientas! Entonces rompemos nuestras dietas y engullimos como animales. Con las dietas ricas en calorías no se consigue nada mejor. Las dietas grasas (compuestas por productos de origen animal también disminuyen los niveles de leptina). Y tú sabes qué es lo correcto: las dietas vegetales bajas en grasas realmente aumentan los niveles de leptina, por lo que ayudan a que cada molécula de leptina trabaje mejor y con más efectividad. Ayúdate a tener éxito. ¿De qué forma? Comiendo alimentos sanos como frutas, vegetales, granos integrales y legumbres, que ayudan a satisfacer tu apetito y estimulan el buen funcionamiento de tu metabolismo.[208]

Pero cuando tenemos nuestros SPM (Síntomas premenstruales) es otra cosa. Nadie puede saber cuándo lloraremos, a quién mataremos o qué vamos a comer. ¿Por qué? Porque los responsables de nuestros cambios de humor y de nuestros antojos son los estrógenos. Cada mes nuestro cuerpo se prepara para un posible embarazo, y por eso segrega una gran cantidad de estrógenos. Cuando el embarazo no se produce, los niveles de estrógeno en nuestro cuerpo suben radicalmente. Esto hace que nos hinchemos, que estemos irritables y que tengamos deseos incontrolables de comer. El truco para controlar estas incómodas sensaciones es mantener estables los niveles de estrógenos en nuestro cuerpo a lo largo de todo el mes. Esto se puede conseguir siguiendo una dieta. Los alimentos grasos hacen que suban los ni-

veles de estrógenos, mientras los alimentos ricos en fibra ayudan a reducir la producción de estrógenos. El *Journal of Obste-
tric and Gynecology* (Diario de Obstetricia y Ginecología) llevó
a cabo un estudio para evaluar los efectos de la dieta sobre los
síntomas menstruales. Las mujeres que eliminaban las grasas
animales de su dieta experimentaban una notable bajada de la
inflamación y los antojos, a los que también podríamos llamar
ansiedad. Además, los dolores menstruales pasaban de manifes-
tarse durante cuatro o cinco días, a solo dos o dos y medio.[209]
¡Menos dolores, menos ansiedad, menos hinchazón! Estas tres
razones bastan para eliminar de nuestra dieta los productos de
origen animal.

Y aunque tengas unos antojos locos durante tu menstruación,
lo interesante de nuestra dieta es que cuenta con muchos sabores curiosos y atrevidos que no harán que te sientas mal. Puedes
comerlos durante todo el día. Mientras todo lo que te lleves a la
boca y a tu estómago esté en *Skinny Bitch* podrás estar tranqui-
la y sentirte bien. Solo asegúrate de que, cuando te sientas satisfecha, dejas de comer. Sabemos que es un concepto extraño, pero
creemos que lo podréis entender perfectamente. Imagina la medida actual de tu estómago (es, más o menos, la de un recipien-
te de un litro) e imagina la que desearías que tenga. No hay necesidad de llenarlo a tope tres veces al día y estirarlo al máximo
en cada comida, o sea tres veces al día, durante toda nuestra vida.
Observa el tamaño de la ración que pongas en tu plato: ¿crees
que es una ración adecuada al tamaño de tu estómago o crees que
lo estarás forzando? Redúcelo si hace falta.

El hecho de que sientas apetito, o un hambre de lobos, no
justifica que comas a toda velocidad. Si durante la comida tienes
hipo, indigestión, dolor de estómago, eructos o gases, quiere decir que comes demasiado aprisa y que estás tragando aire. Tran-
quila. Respira despacio. Asegúrate de que no estás contenien-
do la respiración mientras comes. Tu cerebro necesita tiempo

para recibir el mensaje que le indica que tu estómago está lleno. Mientras más lentamente comas, más lejos estarás de comer de más.

Además, preocúpate de masticar mucho y lentamente cada bocado. No mires la televisión, ni leas una revista o hables por teléfono, no hagas nada más mientras comes. El mayor acierto es ser consciente del momento en que te sientes satisfecha, sin llegar a sentir que estás que revientas. En ese preciso momento debes parar de comer. Ya no tienes cinco años. Ya no necesitas limpiar el plato con pan para recibir la felicitación de los mayores. Puedes dejar comida en el plato. No te preocupes.

Pero si aún no te acostumbras, puedes conseguir créditos extras mediante el ayuno. O sea, dejando de comer. Por más de quinientos años, el ayuno ha sido utilizado como un método saludable para perder peso. Y es además, una poderosa herramienta para limpiar nuestro organismo, desintoxicarlo, equilibrarlo y para curar enfermedades, grandes y pequeñas.[210] Cuando ingerimos alimentos, toda la energía de nuestro cuerpo se dedica a la digestión, utilizando y almacenando los nutrientes y eliminando los residuos. Cuando no ingerimos alimentos, toda la energía de nuestro organismo se dirige a la limpieza. Todos absorbemos sustancias tóxicas presentes en la comida, la bebida y el medio ambiente. Nuestro cuerpo los elimina parcialmente, pero el resto permanece en forma de un subproducto químico y como radicales libres (sustancias químicas muy reactivas que dañan las células y contribuyen al envejecimiento prematuro, a las enfermedades de corazón y a la aparición del cáncer).

El ayuno ayuda a deshacernos rápidamente de esas toxinas. Además hace subir naturalmente los glóbulos blancos, lo que fortalece nuestro sistema inmunitario y nos protege de las enfermedades. El ayuno también es beneficioso para el sistema circulatorio, por lo que ayuda a mejorar el estado de la piel, del cabello y de las uñas.[211]

Un ayuno puede durar veinticuatro horas o más. Depende de ti elegir el grado de limpieza y salud que quieres alcanzar. Los ayunos largos son los más beneficiosos pero con hacerlo un día al mes es más que suficiente y es muy beneficioso. Hay demasiados tipos de ayuno para poder describirlos todos, así que explicaremos unos pocos. Pero es imprescindible informarse bien y leer sobre los distintos tipos de ayunos antes de llevarlos a cabo.

Uno de nuestros favoritos es el ayuno de «crudos», durante el cual, como es evidente, solo se ingieren alimentos crudos durante el período de días que tú elijas. Es un excelente ayuno para principiantes porque sientes los beneficios del ayuno sin necesidad de dejar de comer. También es un buen ayuno para prepararte para abordar un ayuno más estricto, como el ayuno de zumos, durante el que solo ingieres zumos de frutas y verduras frescas. Pero tanto se trate de uno u otro, o de ambos, las enzimas que contienen son de extraordinaria ayuda para el proceso de limpieza.

El ayuno de líquidos es similar al de zumos, pero puedes incluir sopas. Las propiedades alcalinas de los zumos y de las sopas ayudan a neutralizar las toxinas que el cuerpo almacena.[212] Por esta y otras razones, el ayuno más fuerte y efectivo es el de agua, durante el que solo puedes beber agua. Pero recuerda que no es un desafío o una competencia que te sirva para dejar la dieta que llevas ahora: antes de caminar, debemos aprender a gatear.

Son muchos los que prefieren abordar ayunos con todos los cuidados. Es posible, por ejemplo, comer raciones más reducidas durante la semana previa al ayuno. O si comen usualmente comida vegetariana rápida, pueden abstenerse de prepararla. Nuestra recomendación es comer los alimentos lo más puros y menos «preparados» que sea posible, e ir de más a menos. Los carnívoros pueden pasar a una dieta vegetariana, antes de llegar a la dieta vegana. La transición se puede hacer de forma gradual y sin grandes traumas. Tu cuerpo se desintoxicará y no debes correr el riesgo de deshidratarte.

Todos los ayunos constituyen un desafío físico y mental. No esperes que sea fácil, sobre todo al principio, cuando te encuentres segregando saliva ante alimentos que antes nunca te habían llamado la atención. Pero también puedes llegar a un punto en el que de verdad no sientas apetito, y en el que te sientas liviana, limpia, pura y divina. Cuando vuelvas a introducir alimentos sólidos en tu dieta, lo debes hacer lentamente y con todos los cuidados, pero aun así es probable que rechaces alimentos que comías habitualmente. Es el momento oportuno para construir una nueva y fresca perspectiva. Ver verdades que nunca antes habías visto es un verdadero regalo. Por esta razón la realización de ayunos con cierta frecuencia es especialmente útil. Ayuda a nuestro cuerpo y a nuestra mente a crear unas nuevas y más sanas relaciones con la comida y con el acto de alimentarse. Por eso el ayuno es un arma excelente en el tratamiento de adicciones. Cuando eliminemos las toxinas que hacen que nuestras células cerebrales detonen esa compulsiva sensación de «antojo», habremos erradicado la necesidad de las comidas o drogas que nos suministraban esas toxinas.[213]

No os sorprendáis, mucha gente experimenta jaquecas, náuseas, mareos, calambres, dolores de estómago, sudores, dolores de cabeza, fiebre y sensación de depresión durante el tiempo que dura el ayuno.[214] No os preocupéis, son los efectos secundarios normales del ayuno. Después de los primeros dos o tres días, el cuerpo genera un proceso de «autolisis» y comienza a digerir, literalmente, sus propias células. Con su propia sabiduría, el cuerpo selecciona los tejidos y células enfermas, dañadas, muertas, las que abundan en exceso o las que han muerto.[215] Literalmente, el cuerpo digiere y expulsa venenos, toxinas y células nocivas que permanecen aún en nuestro cuerpo. Durante ese proceso, nuestro cuerpo experimenta cierto malestar. Pero en realidad se trata de algo bueno, porque finalmente nuestro organismo será capaz de abordar y solucionar los problemas que lo acechan de forma permanente.

Durante el ayuno, las enzimas de la digestión son relevadas de su papel habitual y actúan para limpiar y rejuvenecer nuestro cuerpo. Este proceso de rejuvenecimiento requiere la producción de células nuevas. Y en esa medida es que el proceso de envejecimiento puede ser revertido o retardado. Este fenómeno se produce sobre todo durante los ayunos de agua y líquidos. Puedes llegar a sentir que los olores, los sonidos o los sabores te resultan extraños, y también los colores y las formas de las cosas. Finalmente, te sentirás más ligera física, mental y emocionalmente.[216]

Pero no se trata de una cuestión de magia. Los ayunos no se deben hacer si estás embarazada, amamantando, si sufres alguna enfermedad respiratoria severa, así como en casos de enfermedades neurológicas degenerativas o ciertos cánceres. Los diabéticos y los que padecen hipoglucemia pueden hacer ayuno pero solo bajo supervisión médica[217]. En este sentido, cualquier persona que padezca algún tipo de condicionamiento especial de salud debe consultar al médico antes de emprender un ayuno.

VITAMINAS Y OTROS NUTRIENTES

Las vitaminas son una parte esencial de un estilo de vida sano. He aquí una lista de las principales vitaminas y minerales, una descripción de porqué son importantes y de las comidas que los contienen.

Ácido fólico: mantiene la salud de la piel, protege contra los parásitos y las intoxicaciones alimenticias, previene la anemia y evita las alteraciones en el feto. Para tomar ácido fólico debemos comer: verduras de hoja verde, zanahorias, alcachofas, frutas en general, melón, aguacates, albaricoques, fríjoles, lentejas, porotos de soja, garbanzos, levadura de cerveza y granos integrales.

Ácidos grasos omega 3: combate las enfermedades cardíacas, baja los niveles de colesterol malo, reduce las posibilidades de padecer ataques cerebrovasculares, reduce el riesgo de cáncer de mama, alivia los síntomas de la artritis reumatoide, y mantiene sanos el cabello, la piel y las uñas. Los omega 3 están presentes en semillas de lino, las nueces, las semillas de calabaza, en el aceite de sésamo, el aceite de cáñamo y en otras semillas y aceites sin refinar.

Ácidos grasos omega 6: combate los dolores menstruales, evita la aparición de acné, eccema y soriasis y ayuda en los procesos de endometriosis y de artritis reumatoide. Presente en semillas de lino, aceite de onagra, aceite de borraja y semillas de grosella.

Calcio: fortalece los huesos, ayuda a la salud dental. Reduce el riesgo de cáncer de colon, disminuye las posibilidades de padecer osteoporosis, ayuda al sistema nervioso y alivia el insomnio. Lo contienen las almendras, anacardos, nueces, porotos de soja, acelga, guisantes, brócoli, las algas y la melaza.

Hierro: ayuda al crecimiento, genera resistencias ante las enfermedades, previene la fatiga y la anemia y ayuda a tener la piel lozana. Se encuentra en los frutos secos, semillas de calabaza, fríjoles, lentejas, granos integrales, avena, espárragos, melaza, brócoli, espinacas, col de la china o col petsai, guisantes, cardo, fríjoles rojos y algas.

Magnesio: también se lo conoce como el mineral antiestrés. Combate la depresión, da energía, ayuda a quemar grasas, previene el infarto, mantiene un buen nivel de colesterol, previene los problemas digestivos, combate los síntomas premenstruales, ayuda a la prevención de los partos prematuros y a tener los dientes fuertes y sanos. Combinado con calcio, funciona como un tranquilizante natural. Se encuentra en las avellanas, en los germinados, las verduras de hoja verde, en la soja, el kelp, y en la melaza tomada en grandes dosis, sobre todo si estás tomando píldoras anticonceptivas.

Potasio: ayuda a controlar la presión sanguínea. Permite pensar con más claridad porque envía oxígeno al cerebro, y hace que contemos con más reservas. Presente en bananas, cítricos, melón, tomates, berro, verduras de hoja verde, semillas de girasol, aguacates, lentejas, patatas y granos integrales.

Vitamina C: acelera los procesos curativos, mantiene la presión sanguínea, previene las gripes y los resfriados, protege contra el cáncer y ayuda a bajar los niveles de colesterol en sangre. Además, ayuda a formar colágeno, que es muy importante para el crecimiento y la regeneración del tejido celular, de los vasos sanguíneos, encías y dientes. La vitamina C es especialmente importante para las mujeres que son fumadoras o las que toman píldoras anticonceptivas. También es sencillo asimilar vitamina C comiendo brócoli, coles de Bruselas, calabaza, verduras, pimientos verdes, espinacas, berros, patatas, pomelos, naranjas y papayas.

Vitamina D: junto con el calcio y el fósforo, ayuda a conseguir huesos y dientes fuertes. La vitamina D promueve a que nuestro cuerpo asimile mejor la vitamina A y, además, previene los resfriados si actúa en conjunto con las vitaminas A y C. Lo único que tienes que hacer para obtener vitamina D es exponer tu piel al sol.

Vitamina E: hace que te veas más joven, inhibe el crecimiento de las células cancerígenas, combate la fatiga, previene los accidentes cerebrovasculares, reduce la presión sanguínea, reduce los riesgos de padecer Alzheimer, y acelera los procesos de curación de quemaduras. Se encuentra en el germen de trigo, en los cereales integrales, en el trigo integral, frutos secos, semillas de girasol, verduras de hoja verde y aceites vegetales.

Vitaminas de tipo B: mejora la actitud mental, contribuye a mejorar la salud de la piel, funciona como un diurético natural, fortalece el sistema inmunitario, da energía, aumenta la capacidad de concentración y la memoria, y es buena para el sistema nervioso. Hay que comer trigo integral, germen de trigo, salvado, avena, granos integrales, arroz integral, fríjoles, frutos secos, porotos de soja, lentejas, dátiles, higos, bananas y verduras.

Zinc: ayuda en problemas de infertilidad, es muy importante para las funciones cerebrales, mantiene el equilibrio ácido-alcalino de nuestro cuerpo, ayuda a la formación de colágeno y a la formación de insulina, necesaria para la supervivencia de muchas enzimas vitales. Las comidas con más concentración de zinc son el trigo integral, los granos integrales, semillas de zapallo o calabaza, semillas de sésamo y porotos de soja.[218]

Si comemos de la forma adecuada, podemos conseguir todas las vitaminas que necesitamos a través de los alimentos. Sin embargo, la vitamina B-12 solo se encuentra en productos de origen animal, por eso muchos vegetarianos toman la vitamina B-12 como suplemento. La vitamina B sublingual con ácido fólico se absorbe de manera más fácil y rápida que las píldoras. Si crees que no tomas la suficiente cantidad de vitaminas con tus alimentos y crees que necesitas tomar suplementos, consulta a un médico holístico.

CAPÍTULO 11

A comer

Nos decidimos a escribir este libro por varios motivos:

- No toleramos todas las crueldades cometidas a causa del consumo de carne como parte de nuestra dieta habitual y queremos ayudar a que acabe el sufrimiento de los animales destinados a la alimentación.
- No soportamos la rutina ni los trabajos comunes y corrientes.
- Queremos cambiar la vida de la gente.
- Queremos ayudarte a que tengas éxito y a hacer ese camino lo más fácil posible.

En este capítulo presentamos unas cuantas listas sobre qué debes comer y qué no, y así no habrá ningún tipo de confusión. Después de leer el libro completo, si no te sientes segura respecto a lo que puedes comprar o pedir, vuelve a tu ejemplar de *Skinny Bitch* y busca rápidamente este capítulo. Así estarás segura de hacer la elección correcta de tus alimentos.

El desayuno es la comida más importante del día. Pero no por lo que estás pensando. Las industrias lechera y cerealera intentan hacernos creer que sin un gran y «saludable» desayuno no tendremos la energía suficiente para empezar y transcurrir bien el día. Pero los cereales azucarados preparados con leche de vaca no constituyen un desayuno saludable ni son una fuente de energía real. La verdadera razón por la que el desayuno es tan importante es porque es la comida que nos marca la manera en la que comeremos durante el resto del día. Si tomas un desayuno «basura», probablemente desearás y comerás «basura» el resto del día. Y si además lo haces por la mañana muy temprano, interrumpes el proceso de «limpieza» que el cuerpo realiza naturalmente. Recuerda: cuando el cuerpo se ocupa de la comida, se ocupa de ti. Cuando tu «equipo de limpieza» está en el medio del proceso, y tú atiborras tu cuerpo de comida, el equipo se colapsa. Dejan lo que estaban haciendo, levantan las manos, se rascan la cabeza y deciden que no pueden con el desorden que estás provocando. Entonces optan por almacenarlo todo como grasa con la esperanza de poder quitarlo luego.[219]

Por eso, cuando te levantes por la mañana, debes esperar a sentir apetito para comenzar a desayunar. No comiences de inmediato simplemente porque ésa sea tu rutina habitual. Después de unos pocos días, empezarás a desear esa sensación de vacío en tu estómago y sabrás que el dolor de cabeza, las náuseas y el hambre, son las señales de que tu cuerpo está trabajando para limpiarse. Siéntete libre de disfrutar una taza de una infusión sin cafeína mientras te despiertas. Pero para algo más que eso, lo mejor es esperar a que estés realmente hambrienta.

Cuando comas, el mejor desayuno es la fruta biológica. En comparación a las tostadas con mantequilla, los huevos fritos y el beicon o los *bagels*, te parecerá algo liviano. Pero insistimos, mientras te adaptas, debes comer solo fruta. Come despacio. Cuando, después de unos diez minutos, vuelvas a sentir apetito, come otra pieza, lentamente. Cuando vuelvas a sentir hambre, comes una más. Y el desayuno está hecho.

Lista de alimentos para el desayuno

Esperamos que estés dispuesta a probar las frutas en el desayuno antes de decidir que esto no es para ti. Pero si lo intentas, y después de dos semanas te sigues sintiendo enfadada y violenta con solo pensarlo, consulta la siguiente lista de alimentos aceptables para el desayuno: **(R) presentes en el refrigerador**, y **(F) presentes en el *freezer* (congelador)**

Arrowhead mills: Mezcla de harina de grano integral para panqueques y gofres
Food For Life: Cereales orgánicos Ezekiel 4:9
Barbara's Bakery: Cereales Puffins
Barbara's Bakery: Cereales triturados
Peace Cereal: Muesli a la vainilla
Peace Cereal: Muesli al jarabe de arce
Nature's Path: Cereales Optimum Slim
Nature's Path: Cereales Optimum Power Breakfast
Health Valley: Salvado orgánico con pasas
Health Valley: Copos de avena orgánica con pasas
Old Wessex Ltd.: Avena estilo irlandés
Old Wessex Ltd.: 5 cereales
Nature's Path: Avena orgánica instantánea con jarabe de arce
Ancient Harvest: Copos orgánicos de quinua
Rice Dream: Leche enriquecida de arroz
Original Eden Soy: Leche orgánica de soja
Original Eden Blend: Bebidas de arroz y de soja
House: Bistec de soja (R)
Whole Soy and Co.: Yogur de soja (R)
Silk: Yogur de soja (R)
Amy: Tofu orgánico (F)
Van's: Gofres orgánicos naturales (F)
Lifestream: Gofres tostados Mesa Sunrise (F)

French Meadow Bakery: Pan de arroz integral
French Meadow Bakery: Pan de semillas de cáñamo
Nature's Path: Panes orgánicos Manna (F)
Fabe's All Natural Bakery: *Muffins* veganos (F)
Zen Bakery: Rollos de canela (R)
Whole Foods: *Muffins* orgánicos ingleses (R)
Food For Life: *Bagels* de grano integral Ezekiel 4:9 (F)
Tofutti: Sucedáneo del queso cremoso sin aceites hidrogenados
Better Than Cream Cheese (R)
Ligthlife: Smart Bacon (R)
Ligthlife: Salsa estilo ¡Gimme Lean! (R)
Organic Fruit: (Al comienzo del libro, en el Capítulo 2, señalábamos los beneficios de comer nada más que fruta en el desayuno. Pero aquí incluimos otros alimentos que pueden constituir un buen desayuno. La intención es que puedas decidir tú mismo el grado de rigor de tu dieta, y orientarte en la elección de un buen desayuno, si aún no te convence el desayuno de fruta. Es tu elección. Puedes comer fruta antes de tu primer *muffin*, panqueque o gofre. Tú eliges).

Lista de alimentos para el almuerzo

No comiences tu almuerzo hasta que no sientas apetito. Esto haría que el desayuno pase a través de tu cuerpo sin haber aprovechado al máximo los alimentos. En el mundo *Skinny Bitch* un buen almuerzo consiste en una ensalada fresca, orgánica, con una gran variedad de verduras. Pero si te aburre o sencillamente te parece desagradable, puedes elegir algo de lo que te proponemos en esta lista de deliciosas comidas:

Food For Life: Pan Ezequiel 4:9
Arrowhead Mills: Mantequilla orgánica valenciana de maní

MaraNatha: Mantequilla de almendras orgánicas
I.M. Healthy: Mantequilla SoyNut
Bionaturae: Ensalada orgánica de frutas
Natural Touch: Sucedáneo del atún
Morningstar Farms: Atún
Amy's: Hamburguesa All American (F)
Amy's: Hamburguesa California (F)
Amy's: Hamburguesa Texas (F)
Gardenburguer's: Hamburguesas a la brasa (F)
Gardenburguer's: Pollo a la brasa (F)
Whole Foods Bakehouse: Albóndigas orgánicas (R)
Tofurkey: Tofu en tiras
Yves: Mortadela vegetariana
Yves: Pavo vegetariano
Yves: Salami vegetariano (R)
Follow Your Heart: Queso alternativo Vegan Gourmet (R)
Earthbound Farm: Verduras orgánicas de hoja verde para ensa-
   lada (R)
Fantastic Foods: Tabulé
Fantastic Foods: Cuscús orgánico integral
Fantastic Carb «Tastic Foods»: Sopa vegetariana de pollo
Fantastic Carb «Tastic Food»: Setas shiitake
Fantastic Big Soup: Sopa de cinco granos
Fantastic Big Soup: Lentejas
Amy's Organic Soups: Sopa de fríjoles negros
Amy's Organic Soups: Sopa de calabaza Cidra
Amy's Organic Soups: Sopa crema de lentejas
Amy's Organic Soups: Sopa multivegetal
Amy's: Chili orgánico
Health Valley: Sopa orgánica de guisantes
Health Valley: Sopa orgánica de lentejas
Health Valley: Sopa de fríjoles negros
Imagine: Caldo orgánico sin pollo

Imagine: Caldo orgánico de verduras
Pacific: Caldo orgánico de verduras
Verduras orgánicas

Lista de comidas para la cena

Cuando te sientas realmente hambrienta, es la hora de cenar. La cena es una comida fácil y alegre. Guíate por la lista o crea tu propio y saludable festín vegano:

Health Best 100% Organic: Lentejas rojas
Health Best 100% Organic: Lentejas verdes
Health Best 100% Organic: Cebada
Health Best 100% Organic: Guisantes
Health Best 100% Organic: Amarantos
Arrowhead Mills: Mijo integral orgánico
Lundberg Family Farms: Arroz integral de grano corto
Lundberg Family Farms: Pasta de arroz integral orgánico
DeBoles: Pasta de grano integral
Ancient Harvest: Pasta de quinua orgánica
Eddie's Sapghetti: Pasta vegetal orgánica
Pastariso: Fettucini de arroz integral orgánico
Pastariso: Macarroni de arroz integral orgánico
Rising Moon Organics: Ravioles de espinacas Florentinas con tofu (F)
Chef Nocola's Kitchen: Berenjenas en salsa balsámica de hierbas (F)
Amy's Organic: Fideos chinos con verduras salteadas (F)
Amy's Organic: Verduras salteadas estilo tailandés (F)
Amy's: Pizza vegetal sin queso (F)
Nate's: Albóndigas de sucedáneo de la carne (F)
Health is Wealth *Buffalo wings* (F)

Health is Wealth: Hamburguesas de pollo vegetarianas (F)
Health is Wealth: *Nuggets* de sucedáneo del pollo (F)
Tofurkey: Sucedáneo del pavo a base de tofu (F)
Gloria's Kitchen: Surtido de entrantes vegetarianos (F)
Lightlife: *Tempeh* orgánico (R)
Lightlife: Hamburguesas vegetarianas Smart Ground (F)
Nasoya: Tofu orgánico (R)
White Wave: Sucedáneo del pollo hecho con seitan (R)
Lightlife: Smart Dogs (salchichas vegetarianas) (R)
Yves: Salchichas vegetarianas (R)
Rudi's Organic Bakery: Panecillos para perritos calientes
Now & Zen: UnChicken, sucedáneo del pollo hecho de seitan (R)
Now & Zen: UnSteak, sucedáneo de carne hecho de seitan (R)
Yves: Veggie Ground Round Mexican (sucedáneo de la carne estilo mexicano) (F)
Bearitos: Pan para tacos
Garden of Eatin: Pan para tacos de maíz azul
Alvarado St. Bakery: Tortillas de grano integral
Verduras orgánicas

Por supuesto, las comidas del almuerzo y de la cena pueden intercambiarse a gusto del consumidor

Un consejo útil: Prepara una lista de los que serán tus alimentos básicos.

Comida basura aceptable, *snacks* y postres

Hay algunos *snacks* saludables que te harán sentir una niña otra vez. Y eso es bueno. Si estás hambrienta pero no estás lista para cenar, puedes tomar un *snack*. En la medida en que sea sano, no arruinará tu cena, y si los tomas con medida, no hay nada malo en servirse de ellos. Pero no comas algo solo porque puedas hacerlo. Cómelo solo si quieres hacerlo. Si no, espera la hora de la cena.

El postre es uno de los regalos que Dios hizo a los seres humanos. Mímate a ti misma. Como en el caso de los *snacks*, si comes controladamente postres saludables, ¡puedes disfrutarlos sin el más mínimo sentimiento de culpa!

365: Chocolate orgánico con leche de soja
Whole Foods: Rollitos orgánicos de coco con dátiles
Barbara's Bakery: Crackers orgánicas
Dagoba: Barras orgánicas de chocolate negro
Uncle Eddie's: Galletas veganas
Organica Foods: Galletas veganas
Fabe's All Natural Bakery: Galletas veganas
Newman's Own: Galletas orgánicas de higo Fig Newmans
Laura's Wholesome Junk Food: Bitelettes (galletas)
Nutrilicious Natural Bakery: Centros de donut
MI-DEL: Snaps de vainilla
Country Choice: Crema orgánica para sándwiches, certificada
Back to Nature: Galletas rellenas de crema al estilo clásico
Back to Nature: Galletas rellenas de menta y chocolate
Chocolove: Chocolate negro belga
Endangered Species: Barras de chocolate negro
Tropical Source: Galletas de arroz al chocolate
Ecco Bella: Chocolate *Health By*
Raw Balance: *Carobelles* (www.rawbalance.com)
Gertrude & Bronner's Magic: *Alpsnack*
LaraBar: Todos los sabores
Terra: Chips vegetales exóticas
Terra: Chips a la pimienta
Maine Coast Sea Vegetables: Chips marineras
Garden of Eatin': Sunny Blues (tortilla con semillas de girasol)
Guiltless Gourmet: Chips al horno de maíz amarillo

Kettle Organic Tortilla Chips: *Blue moons* de sésamo
Veggie Stix: Patatas fritas en bastones
Robert's American Gourmet: *Tings*
Robert's American Gourmet: *Tings* a la pimienta
Robert's American Gourmet: *Veggie Booty*
Newman's Own: *Pretzels* salados orgánicos
Koyo Organic Rice Cakes: Galletas de arroz dulces
Koyo Organic Rice Cakes: Galletas mixtas
Nature's Path: Galletas orgánicas de lino
Back to Nature: Crackers clásicas
Soy Dream: Postres helados libres de lácteos (F)
Soy Delicious: Postres helados libres de lácteos (F)
Double Rainbow Soy Cream: Postres sin leche (F)
Soy Delicious: Li'l Buddies (sándwiches helados) (F)
Sweet Nothings: Barritas dulces sin leche (F)

Condimentos e ingredientes varios

No te preocupes por los pequeños detalles o cosas que no conozcas. Nos hemos ocupado de todo.

Earth Balance: Sustituto natural de la mantequilla (R)
Soy Garden: Sustituto natural de la mantequilla (R)
Follow Your Heart: *Vegenaise* (sucedáneo de mayonesa) (R)
Nasoya: *Nayonaise*
Muir Glen: Ketchup orgánico
Westbrae: Ketchup natural
Whole Kids: Mostaza orgánica
Pectrum Naturals: Aceite orgánico de sésamo
Spectrum Naturals: Aceite orgánico de canola
Spectrum Naturals: Aceite de oliva extra virgen
MaraNatha: Tahini orgánico

Bragg Liquid Aminos: Sustituto de la salsa de soja
Sea Seasonings: Gránulos de kelp orgánico con pimienta de cayena
Annie's Naturals: Manjar de diosas
OrganicVille: Vinagreta orgánica de sésamo y tamari
The Wizard's: La original salsa Worcestershire vegetariana
Essential Living Foods: Jarabe o néctar de agave orgánico
Shady Maple Farms: Jarabe orgánico de arce, certificado
Sugar in the Raw: Azúcar turbinado de caña natural
Florida Crystals: Azúcar de caña orgánico
Wholesome Sweeteners: Sucanato orgánico
Hain Pure Foods: Azúcar negra orgánica
Stevita Company Inc.: Stevia lista para usar
Dr. Oetker Organics: Mezcla para pastel de chocolate
Dr. Oetker Organics: Mezcla para pastel de vainilla
Dr. Oetker Organics: Mezcla para helado de chocolate
Dr. Oetker Organics: Mezcla para helado de vainilla
Dr. Oetker Organics: Mezcla para cookies de chocolate
Ener-G: Sucedáneo del huevo
Chatfield's Carob & Compliments: Algarrobo al chocolate, libre de lactosa
Sunspire: Chocolate troceado con granos integrales
Arrowhead Mills: Copos orgánicos de avena
Arrowhead Mills: Harina orgánica de trigo integral
Arrowhead Mills: Espelta orgánica
Arrowhead Mills: Harina orgánica de arroz integral

Usa la cabeza. No es necesario que comas, durante todo el día, los alimentos de la lista. Crea un menú equilibrado sin que sea repetitivo. Por ejemplo, no comas panqueques para el desayuno, sándwich para el almuerzo y hamburguesa vegetariana para la cena. Si te fijas, te habrás saltado las frutas y las verduras. No, no, y no. Usa la cabeza. Trata de pensar en frutas, verduras, granos integrales, soja, legumbres, y combínalos para conseguir una dieta equilibrada.

Si necesitas más orientación, aquí te presentamos un menúguía para un mes:

DIETA DIARIA

PRIMERA SEMANA

Lunes
Desayuno: Mango, banana, kiwi y yogur de soja.
Almuerzo: Ensalada de espinacas con cintas de zanahoria, almendras picadas, cebolla roja, ajo fresco, cubos de tofu y aceite de sésamo.
Cena: Pasta con *zucchini*, tomates, ajo, perejil fresco, piñones y aceite de oliva.

Martes
Desayuno: Zumo de naranja exprimido, *muffins* de harina integral con mantequilla de soja, banana y fresas.
Almuerzo: Tabulé con tofu marinado, berenjena y pimientos rojos.
Cena: ¡Nachos vegetarianos! Cortezas de maíz con chili vegetal, queso de soja, guacamole, setas y tomates.

Miércoles
Desayuno: Zumo de uva fresco y copos de avena *slow cooking*, con arándanos, fresas y frambuesas.
Almuerzo: Hamburguesa vegetal sobre un panecillo de harina integral, cebolla roja, lechuga, tomate, aguacate, y brotes de alfalfa. Acompañarlo con ensalada de patatas vegana.
Cena: Hamburguesas de sucedáneo del pollo con arroz integral, lentejas y acelgas al vapor.

Jueves

Desayuno: Zumo de naranja natural con un *bagel* integral con queso cremoso vegano, rodajas de tomate y cebolla roja.

Almuerzo: Sopa y ensalada.

Cena: *Stir-fry* vegetariano con pimientos, cebolla, ajo, zanahoria, col china y setas, servido con arroz integral y tofu.

Viernes

Desayuno: Yogur de soja y muesli con rodajas de banana, melocotones y arándanos.

Almuerzo: Sándwich «Club» con sucedáneo del bacon, tiras de sucedáneo del pavo, aguacate, lechuga, tomate, germinados y Vegenaise (sucedáneo de la mayonesa). Acompañarlo de una ensalada con tres tipos de fríjoles.

Cena: Compra algo para llevar en un restaurante tailandés favorito y pide algo que no lleve huevo, carne ni pescado.

Sábado

Desayuno: Zumo de naranja exprimido y panqueques de maíz azul y arándanos servidos con fresas frescas.

Almuerzo: Ensalada de zanahoria en tiras, cuscus, arándanos, nueces, aliñado con una vinagreta de cítricos. Acompañarlo con una sopa de lentejas.

Cena: Fajitas vegetarianas con pimientos salteados, cebollas, setas y tiras de sucedáneo del pollo, preparado con Pico de Gallo fresco.

Domingo

Desayuno: Zumo de naranja exprimido con tofu, *zucchini*, pimientos, cebollas, ajo, espinacas y acelgas. Servirlo con tostadas de pan integral.

Almuerzo: Ensalada de lentejas con espárragos y nueces con una vinagreta de frambuesa. Acompañarlo de alcachofas al vapor y remojadas en un aliño de limón y mantequilla de soja.

Cena: Pizza vegetariana sin queso o con queso vegano.

SEGUNDA SEMANA

Lunes

Desayuno: Zumo de frutas variadas con un toque de zumo de naranja, plátano fresco, piña helada y coco.

Almuerzo: Ensalada All-American con lechuga romana, maíz, guisantes, y tofu BBQ con un aderezo ranchero vegano.

Cena: ¡Noche italiana! Tu pasta favorita con salsa de tomate y albóndigas de sucedáneo de la carne, acompañadas de pan de cereales integrales.

Martes

Desayuno: Zumo de naranja exprimido, cereales con leche de soja o arroz, acompañado de arándanos, rodajas de banana y fresas.

Almuerzo: Chili vegetariano con pan de maíz.

Cena: Puré de patatas, hamburguesas vegetarianas Meatless Riblets y repollitos de Bruselas salteados con cardo suizo.

Miércoles

Desayuno: Zumo de naranja exprimido con gofres veganos tostados y rodajas de fresas, banana y melocotón.

Almuerzo: Ensalada César vegana con hamburguesas de sucedáneo del pollo.

Cena: Arroz integral y lentejas con brócoli al vapor y repollo rojo.

Jueves

Desayuno: Una gran rodaja de melón.

Almuerzo: Bistec de sucedáneo de la ternera con pan de cereales integrales, lechuga, tomate y verduras salteadas en el *wok* (zanahorias, repollo rojo, repollo verde, vinagre de arroz, aceite de sésamo y semillas de sésamo).

Cena: Pastel de sucedáneo de la carne, servido con mazorcas de maíz, guisantes y espinacas salteadas con ajo.

Viernes

Desayuno: Ensalada de frutas con jugo de manzana, melocotón, arándanos, frambuesas y un toque de aceite de lino.

Almuerzo: Comida japonesa con rollitos de aguacate, sopa de miso y una ensalada.

Cena: Hamburguesa vegetal con setas salteadas, cebollas, queso de soja, lechuga, tomate y patatas al horno.

Sábado

Desayuno: Zumo de naranja exprimido y tostadas francesas veganas con arándanos, fresas y banana.

Almuerzo: Verduras de hoja verde con corazones de palmitos, tomates secos, tomates amarillos, espárragos, albahaca, ajo, piñones, aderezado con aceite y vinagre.

Cena: Salchichas vegetarianas con chili vegano y queso de soja, acompañado por una ensalada de patatas vegana.

Domingo

Desayuno: Zumo de naranja exprimido y sándwich de sucedáneo del huevo (utiliza House Tofu-Steak extra duro, cortado y frito en la sartén, con sucedáneo del bacon y queso de soja, acompañado por un pan de cereales integrales untado con mantequilla de soja, sal, pimienta y ketchup).

Almuerzo: Sopa crema de guisantes con una ensalada de hoja verde.

+1 línea?

Cena: Penne con calabacín rallado y pesto (piñones, ajo y aceite de oliva).

TERCERA SEMANA

Lunes

Desayuno: Zumo de naranja exprimido y avena pasada veinte segundos por el microondas con leche de soja o arroz, con manzanas, canela y pacana.

Almuerzo: Revoltillo vegetal con trigo integral, *zucchini* salteados, champiñone *portabella*, y pimientos rojos asados acompañados de ensalada.

Cena: *Styr-fry* vegetariana con pimientos verdes, zanahorias, *zucchini*, tofu, *bok choy*. Acompañarlo con arroz integral tailandés de grano largo.

Martes

Desayuno: Unas cuantas rodajas de melón de pulpa verde dulce.

Almuerzo: Ensalada de hoja verde con cebolla roja, tomates cherry, fríjoles negros y maíz dulce, acompañado de boniato al horno.

Cena: Tofu Teriyaki al horno con arroz integral *jasmine* y fríjoles verdes al vapor.

Miércoles

Desayuno: Zumo de manzana natural con un *bagel* de harina integral con mantequilla de maní, jalea (por supuesto orgánica y sin azúcar añadida) y banana en rodajas.

Almuerzo: Fuente mediterránea vegetariana con hummus, berenjenas, hojas de parra, falafel, pimientos, olivas y tomates.

Cena: Burritos vegetales con fríjoles, arroz integral, guacamole, queso de soja, lechuga, tomate y salsa.

Jueves

Desayuno: Muesli con banana, arándanos, fresas y leche de arroz o de soja.

Almuerzo: Hamburguesas *portabella* de champiñones con rúcula, y cebollas caramelizadas, acompañadas de una ensalada de tomate y aguacate.

Cena: Lasaña vegetal con salsa de tomate, un salteado de tus verduras favoritas, hamburguesas vegetarianas y ricotta de tofu (en la trituradora, mezcla tofu extraduro, ajo, sal, un poco de aceite de oliva y orégano).

Viernes

Desayuno: Ensalada de frutas. ¡Qué locura!

Almuerzo: Sucedáneo del atún con zanahorias al vapor, cebolla picada y mayonesa vegana o (Vegenaise), pan integral y tortas de maíz al horno.

Cena: Brócoli al vapor, zanahorias, acelgas, col lombarda, coliflor y tofu con arroz integral, aliñado con aceite de sésamo y sal marina.

Sábado

Desayuno: Revuelto de sucedáneo del huevo con tofu, cebollas salteadas, pimientos, judías negras, aguacate y tortillas de maíz con salsa de tomates.

Almuerzo: Ensalada china con sucedáneo del pollo, tirabeques, calabaza, zanahorias, mandarinas, palitos de sucedáneo del pollo y castañas de cajú.

Cena: Seitan con puerros al vapor, judías blancas y patatas asadas con ajo.

Domingo

Desayuno: Zumo de naranjas exprimido con frambuesas y banana, y panqueques de manzana con canela.

Almuerzo: Sucedáneo del bacon, lechuga, tomate y aguacate con pan integral y las patatas asadas que reservaste en la cena de la noche anterior.

Cena: Pincho de kebab vegetal con pimientos verdes, pimientos rojos, champiñones, cebollas, tomates cherry y hamburguesas vegetales (Gardenburger Meatless Riblets), con mazorcas de maíz.

CUARTA SEMANA

Lunes

Desayuno: Cóctel de frutas con melocotón, banana y fresas, servido con leche de soja o de arroz.

Almuerzo: Ensalada «Chef» con lechuga, escarola, espinacas, zanahorias, tomates, queso vegano y entremeses vegetarianos.

Cena: Bistec vegetal con boniatos al horno, lentejas y acelgas al vapor.

Martes

Desayuno: Zumo de naranja exprimido y gofres tostados con banana, fresas y arándanos.

Almuerzo: Minestrone vegetariano acompañado de una pequeña ensalada.

Cena: Salchichas vegetarianas a la plancha con chili vegetariano, acompañadas de repollo.

Miércoles

Desayuno: Zumo de manzana fresco y cereales de avena, con leche de soja o arroz, pasados veinte segundos por el microondas, con dátiles, pasas de uva, nueces y banana.

Almuerzo: Queso de soja a la plancha o a la parrilla con tomate y una ensalada frugal.

Cena: Pastel de carne preparado con puré de patatas vegano, sucedáneo de la carne picada, lentejas, maíz, espinacas salteadas y champiñones.

Jueves

Desayuno: Zumo de naranja exprimido, un pomelo y un *muffin* integral.

Almuerzo: Chili vegetariano con ensalada de tomate y aguacate y galletas de maíz.

Cena: Macarrones con calabacín, olivas, albahaca, tomate, ajo y aceite de oliva, servidos con pan de cereales integrales.

Viernes

Desayuno: Zumo de naranjas exprimido, con cereales, melocotón, banana, moras y leche de soja.

Almuerzo: Rollitos de pepino y aguacate, con sopa de miso y una ensalada.

Cena: Pizza vegana o integral sin queso y cubierta con un gran surtido de verduras.

Sábado

Desayuno: Sándwich de sucedáneo del huevo.

Almuerzo: Ensalada César con sucedáneo del pollo.

Cena: Coliflor al vapor, brócoli, zanahorias, repollo rojo y arroz integral.

Domingo

Desayuno: Crea tu propio surtido de frutas.

Almuerzo: Hamburguesa vegetariana con champiñones salteados, aguacate, lechuga, tomate, cebolla y germinados; servir con patatas asadas.

Cena: Hamburguesa vegetal de pollo con salsa barbacoa, guisantes, coles y mazorcas de maíz.

- Puedes llevarte un puñado de frutos secos orgánicos para ir comiendo a lo largo del día.
- Si realmente quieres encontrarte mejor, toma un zumo de fruta fresca todos los días. Ni envasados ni pasteurizados.
- No te olvides de incluir infusiones libres de cafeína y ocho vasos de agua diarios.
- Al final del libro, incluimos una lista de libros de cocina recomendados. Para consultar recetas veganas puedes encontrarlas allí o en internet. Uno de los sitios más recomendables es veganpeace.com, donde encontrarás recetas y libros asociados. Otra página excelente es VegCooking.com.
- ¿Te sientes intrépida y quieres experimentar por tu propia cuenta? Hazlo. Compra lo que te resulte tentador. Aquí hay una lista de términos poco comunes que te ayudará a hacer la elección más correcta. Y paciencia, es la parte más aburrida del libro.

Ingredientes peligrosos o potencialmente peligrosos:

Aceite de colza: Emulgente y estabilizador presente en productos de panadería, lácteos y carnes procesadas. Puede causar cáncer, enfermedades cardíacas y ceguera.

Aceite de hígado de pescado: Utilizado en vitaminas, suplementos y leches enriquecidas con vitamina D. Alternativa: extracto de levadura de ergosterol.

Ácido aminosuccínico o ácido aspártico: Puede ser de origen animal o vegetal (como la melaza).

Ácido carmínico, colorante de cochinilla: Pigmento rojo obtenido de la hembra del insecto llamado Cochinilla. Se deben matar 70.000 escarabajos para obtener medio gramo de este colorante. Utilizado en todo tipo de comidas y especialmente en golosinas. Puede causar reacciones alérgicas.

Ácido esteárico: Grasa de vacas, ovejas, perros y gatos sacrificados en refugios para animales, etc. También se utiliza una sustancia grasa obtenida del estómago de los cerdos. Utilizado en chicles y como saborizante alimentario. Alternativas: ácido esteárico obtenido de grasas vegetales y también del aceite de coco.

Ácido oleico: Se obtiene de grasas y aceites animales y vegetales. Para su uso comercial se suele obtener de las grasas no comestibles. Alternativas: aceite de coco. (Véase «sebo»).

Ácido láctico: Presente en la sangre y el tejido muscular. También en la leche cortada, cerveza, chucrut, pickles y en otros productos alimenticios obtenidos mediante la fermentación. Alternativas: ácido láctico de la remolacha.

Ácidos grasos: Puede ser una mezcla de varios líquidos y sólidos, como los ácidos caprílico, láurico, mirístico, oleico, palmítico y esteárico. Alternativas: ácidos derivados de aceites vegetales y lecitina de soja.

Ácidos nucleicos: Presente en el núcleo de toda célula viviente. Utilizado en vitaminas y complementos alimenticios. Alternativa: fuentes vegetales.

Alanina o Aminoácidos: «Ladrillos» de las proteínas en todos los animales y plantas. Asegúrate que sean de origen vegetal.

Albumen o albúmina: Presente en los huevos, la leche, mejillones, en la sangre y en numerosos tejidos vegetales y fluidos. Puede causar reacciones alérgicas. Se lo utiliza en pasteles, galletas, dulces y en algunos vinos.

Ámbar gris: Se obtiene de los intestinos de las ballenas y los cachalotes. Se lo utiliza como saborizante en comidas y bebidas.

Betacaroteno, provitamina A: Pigmento que se obtiene de numerosos tejidos animales y de todas las plantas. Utilizado en la fabricación de Vitamina A. Es importante asegurarse de que sea de origen vegetal.

Bisulfito potásico, bisulfito sódico, dióxido de sulfuro: Anti-hongos, antioxidante en quesos y carnes procesadas, frutas azucaradas, frutos secos y productos de panadería. Puede causar asma, estados de shock y muerte súbita.

Bromato de potasio: Presente en productos de panadería, puede causar cáncer de riñón y desórdenes en el sistema nervioso. Prohibido en todo el mundo, menos en Japón y Estados Unidos.

Butilhidroxianisol (BHA), hidroxitolueno butilado: Antioxidante y/o conservante que suele encontrarse en bollería, dulces, sopas en polvo, en el beicon y en casi todo tipo de comidas que contengan colorantes artificiales. Causa cáncer, problemas de fertilidad y defectos de nacimiento.

Caseína, caseinato, caseinato de calcio: Proteína de la leche presente en todos los productos lácteos.

Cisteína, L-form: Aminoácido del cabello, que puede obtenerse de distintos animales. Utilizado en productos de panadería.

Cistina: Aminoácido presente en las crines y el orín del caballo. Se utiliza como suplemento alimenticio.

Cola de pescado: Gelatina preparada con cartílago de pescado. Se la utiliza para aclarar vinos y en alimentos. Alternativas: las mismas que para la gelatina.

Colorante artificial y colorante alimentario FD&C: Derivado del carbón de hulla. Muestra trazas de plomo y arsénico. Cancerígeno. Existen alternativas como el colorante de uvas, escarabajos, cúrcuma, azafrán, zanahoria, clorofila o la remolacha.

Como recubrimiento y cápsula: En golosinas, mermeladas, pasteles, helados y yogures. A veces se utiliza para «aclarar» vinos. Alternativas: Musgo de Irlanda o «carrageen», algas (algin, agar-agar, kelp), pectina de frutas, dextrinas, goma de algodón o extracto de algarrobo.

«De origen natural» o «De fuentes naturales»: Puede significar de origen animal o de origen vegetal. A menudo, en la industria de la salud (y sobre todo en la cosmética), provienen de fuentes animales, como tendones, glándulas, grasa, proteínas y aceite. Alternativa: fuentes vegetales.

Gelatina: Proteína obtenida después de hervir la piel, tendones, ligamentos y ciertos huesos de vacas y cerdos. Utilizado para fabricar gelatinas, budines y en vitaminas

Glicerina, glicerol: Subproducto de la fabricación del jabón manufacturado. En alimentos, pastas de dientes, chicles y enjuagues bucales. Alternativas: glicerina vegetal y derivados de las algas.

Glutamato monosódico (MSG): Saborizante responsable de problemas reproductivos, del sistema nervioso y de disfunciones cerebrales. Presente en sopas, salsas, y alimentos para bebés, leche desnatada y semidesnatada, chicles, golosinas, alimentos procesados y utilizado como pesticida en frutas y verduras no orgánicas.

Hueso en polvo: Huesos molidos de distintos animales. Se lo utiliza en vitaminas y suplementos de calcio.

Lactosa: Azúcar de la leche de los mamíferos. En alimentos, chocolates y productos de panadería.

Lecitina o bitartrato de colina: Sustancia serosa que se obtiene de los tejidos de la mayoría de organismos vivientes, pero que con objetivos comerciales se extrae de los huevos y de las porotos de soja. También de la sangre y de la leche. Alternativas: lecitina de soja o derivados del maíz.

Lipasa: Enzima obtenida del estómago y las glándulas salivales de terneros, cabritos y corderos. Se utiliza en la fabricación de quesos y de medicamentos digestivos. Alternativa: enzimas vegetales y aceite de ricino.

Lípidos: Sustancias grasas obtenidas de animales y plantas. Alternativa, aceites vegetales.

Manteca de cerdo: Grasa del estómago de los cerdos. En productos de panadería, patatas fritas y otros fritos. Alternativas: aceites vegetales vírgenes o grasas vegetales vírgenes.

Metionina: Aminoácido esencial encontrado en distintas proteínas (usualmente en la albúmina del huevo y en la caseína). Utilizado como conservante en las patatas fritas de bolsa.

Monoglicéridos y glicéridos (véase Glicerina): Se obtiene de las grasas animales. Se utiliza en margarinas, preparados para pasteles, helados y alimentos en general. Alternativa: glicéridos vegetales.

Myristal, sulfato de éter, ácido mirístico: Ácido orgánico presente en grasas animales y vegetales. Presente en ácidos para mantequillas y saborizantes alimenticios. Derivados: miristrato de isopropilo, sulfato de éter mirístico, miristilos, miristrato oleico. Alternativa: mantequilla de maní, aceite de coco, extracto de semillas de nuez moscada, etc.

Nitratos: Potencialmente mortales, altamente cancerígenos. Presentes en carnes y alimentos procesados.

Olestra: Sustituto de la grasa que se encuentra en los productos lácteos «bajos en grasa» y que disminuyen la presencia de vitaminas liposolubles en nuestro cuerpo.

Pantenol, dexapantenol, Vitamina B factor complejo: Puede ser de origen animal, vegetal o sintético, por lo que debes asegurarte de consumir solo los de origen vegetal.

Pepsina: Se obtiene del estómago de los cerdos. Coagulante.

Proprionato araquídico: Cera obtenida de la grasa animal. Sus alternativas son los aceites de cacahuetes y vegetales en general.

Rennet, renina: Enzima presente en el estómago de los terneros. Utilizado en la fabricación de quesos y en productos lácteos. Alternativas: jugo de limón o *rennet* vegetal.

Sacarina: Endulzante artificial que puede causar cáncer.

Sebo, alcohol graso: Grasa de origen animal. Puede causar eczema y neuralgias.

Suero lácteo: Derivado de la leche. Utilizado en pasteles, galletas, golosinas y panes. También en la fabricación de queso. Alternativas: suero de soja.

Ten presente que aunque es la lista de sustancias «nocivas», muchas de ellas no lo son si provienen de fuentes vegetales, no químicas ni animales.

Sustancias duodenales: Se obtienen de los intestinos de vacas y cerdos y se los añade a ciertas vitaminas en comprimidos.

Urea, ácido úrico, carbamida: Extraído de la orina y otros fluidos corporales. Utilizado como colorante en productos como los *pretzels*. Provoca la aparición de ácido úrico y urea.

Vitamina A: Presente en los aceites de pescado, en la yema de huevo y la mantequilla. Utilizado en vitaminas de farmacia y suplementos alimentarios. Alternativas; zanahorias y otros vegetales, aceite de germen de trigo.

Vitamina B-12: De origen animal o en cultivos bacterianos. Alternativas: vitaminas vegetales, leche de soja fortalecida, suplementos nutricionales, sustitutos o sucedáneos de las carnes. La vitamina B-12 también aparece en las etiquetas como cianocobalamina. Los profesionales veganos de la salud recomiendan tomar 5 a 10 mg diarios de vitamina B-12 a través de suplementos o cápsulas.

Vitamina D, ergocalciferol, vitamina D-2, ergosterol, provitamina D-2, calciferol, vitamina D-3: Vitamina D presente en el aceite de hígado de pescado, la leche y la yema de huevo. La vitamina D-2 proviene de grasas animales o esteroles vegetales. La vitamina D-3 es de origen animal. Alternativas: fuentes vegetales y minerales, complejos de vitaminas vegetarianos, y la exposición de la piel al sol.

Ingredientes que suenan mal
pero que son inofensivos:

Aceite de coco: Excelente para freír porque soporta altas temperaturas sin volverse cancerígeno. También ayuda a metabolizar los ácidos grasos.

Ácido ascórbico: Vitamina C sintética, obtenida a partir del maíz.

Ácido linoleico: Derivado del maíz, la soja y el maní.

Alfatocoferol, acetato alfatocoferol: Vitamina E derivada del maíz, los cacahuetes o la soja.

Arruruz: Fécula adelgazante natural, obtenida de la raíz de arruruz.

Azafrán: Colorante natural derivado de la planta del mismo nombre.

Azúcar de dátiles: Azúcar obtenida de los dátiles.

Celulosa: Fibra vegetal.

Inulina: Presente en muchas hierbas, funciona como probiótico y ayuda a un saludable tracto intestinal.

Jarabe de arroz integral: Endulzante derivado del arroz integral.

Sucanato: Melaza de caña natural, un endulzante natural.

*   Fuentes: *Food Additives: A Shopper's Guide To What's Safe & What's Not*, de Christine Hoza Farlow, D.C., y PETA's *Caring Consumer Guide*.[220]

CAPÍTULO 12

Ten en cuenta

Lo confesamos: el hecho de que hayamos escrito este libro no significa que seamos perfectas. Si alguna vez nos veis comiendo comida basura o tomando jarras de cerveza, no se enfaden con nosotras. Creemos que se puede disfrutar de la vida manteniéndonos en buena forma. Somos humanas. Y por eso tenemos grasa, y partes de nuestro cuerpo son regordetas, sí. Somos mujeres.

Sí, tienes razón, comer ajos y cebollas hace que nuestro aliento apeste. Pero previene el cáncer y ayuda a desintoxicar nuestro hígado. No dudes en comerlo.

¿Qué es todo el drama que rodea a los aceites hidrogenados? Te lo diremos. Los fabricantes añaden hidrógeno a las grasas mono o poliinsaturadas para cambiar su consistencia. El resultado final, ácidos grasos (pésimos), un producto más sólido con larga vida. Contienen aceites hidrogenados, las margarinas, galletas, pasteles, donuts, patatas chips, carne y productos lácteos, y la mantequilla. Los ácidos grasos trans causan deterioros en la estructura molecular, aceleran su envejecimiento y aumentan la predisposición a las enfermedades.[221]

Piensa en esto. Lo que hacen es alterar la estructura molecular natural de un producto, añadiéndole moléculas de hidrógeno. Al comer estos alimentos alterados mediante procesos químicos, y que contienen aceites hidrogenados, aumentas notablemente el riesgo de padecer enfermedades cardíacas. Y sentimos mucho decir esto, pero al hervir, el aceite también cambia su estructura molecular y produce radicales libres. Los radicales libres no solo destruyen las grasas esenciales y las vitaminas, sino que además están asociados a la aparición de diferentes cánceres y enfermedades cardíacas.[222] Esta es la razón por la cual aceites saludables como el de maní o el de oliva se vuelven poco saludables cuando se los utiliza para freír, por ejemplo, berenjenas o patatas. Es muy importante evitar las comidas fritas y tampoco debe reutilizarse el aceite que ya se ha utilizado una vez. Nunca se ha de calentar el aceite hasta que humee. Lo mejor es utilizar aceite de canola o de coco, cociendo a temperatura moderada y por el menor lapso de tiempo que sea posible.

No te comportes como una vulgar gilipollas. Sí, sí, sí, ya lo sabemos, no grites: los productos orgánicos son mucho más caros que los productos convencionales. Pero confiesa sin tapujos: gastamos mucho dinero en ropa, manicuras, peluqueras, revistas, en la hipoteca y en otras estupideces. Pero nuestra salud y nuestros cuerpos (solo tenemos uno) son mucho más importantes que todo eso. Y aunque gastes más dinero al comprar alimentos orgánicos, ahorrarás mucho si preparas las comidas, meriendas y picadas en casa. Lo orgánico merece lo que gastes de más. Debes animarte a consumir solo productos orgánicos, sobre todo cuando compras frutas y vegetales que comes sin quitarles la piel (sin pelar). Lo más saludable: arándanos, fresas, frambuesas, manzanas y peras orgánicas, también la mantequilla de maní, porque la convencional contiene muchos pesticidas. Consumir productos orgánicos es la única manera de asegurarte de que no estás consumiendo alimentos modificados genéticamente. Según un estudio publicado bajo el nombre de *Food Additives: A Shopper's Guide To Wath's Save and What's Not* (Aditivos alimenticios: una guía para el consumidor de lo que es y lo que no es saludable), «los genes son tomados de determinadas especies de plantas, animales o virus y después son insertados en otras especies con el objetivo de que tengan un buen aspecto, y para que resistan enfermedades y den más y más cuantiosas cosechas. Nadie sabe cuáles son los efectos de su consumo a largo plazo. En la actualidad, los alimentos modificados se venden en todo el mundo y no están etiquetados. Los alimentos orgánicos (orgánicos) certificados son los únicos que tienen la garantía de no haber sido modificados genéticamente».[223]

Cepillarte los dientes es un excelente sistema para librarlos de los restos de dulces. Pero dos o tres veces por día, todos los días durante toda tu vida, tragas una enorme cantidad de dentífrico. ¿Qué contiene? ¿Sustancias químicas? ¿Endulzantes artificiales? ¿Puedes tragártelo? Lee los ingredientes de los que está compuesto y compra dentífrico hecho con ingredientes naturales.

La piel es el órgano más grande del cuerpo. Cada día de nuestra vida le aplicamos colonias, lociones, cremas, maquillajes y desmaquillantes. ¿Alguna vez has leído los ingredientes que contienen? ¿Alguna vez has tenido en cuenta que todas esas sustancias químicas las aplicas directamente sobre el órgano más grande de tu cuerpo? ¿Alguna vez has pensado que lo absorbes todo por tus poros? ¿Sabes qué te metes de esa manera? Seguro que no tienes ni idea. Utiliza solo productos de belleza naturales. Lo que pones *sobre* tu cuerpo es tan importante como lo que pones *dentro* de él, porque además todo lo que le apliques a tu piel acaba dentro de tu cuerpo, y sobre todo en las partes que afeitas, que depilas o que maquillas. Los poros abiertos no quieren tener basura dentro. ¿Estás segura de que tus desodorantes, maquillajes, perfumes, lociones o cremas son seguros para ti?

Las cosas buenas te dejan muchos beneficios. Por eso es mejor no beber agua de más o en exceso, o tu presencia de sales en el cuerpo bajará más de lo necesario. Ocho vasos al día es la medida ideal.

La sal marina pura (*Celtic Sea salt*, diferente de la sal de mesa) contiene muchos minerales esenciales, favorece el buen funcionamiento orgánico y neutraliza las toxinas. Y además contribuye a una buena hidratación de nuestras células y órganos.[224]

Compra un equipo para cocinar al vapor. Te cambiará la vida.

Practica yoga. Es la mejor manera de mantener alejado el riesgo de enfermedades cardíacas, y mantener el tono y la fuerza de tus músculos. El yoga es excelente para las funciones orgánicas, para fortalecer el sistema inmunitario, para combatir el insomnio, para aliviar los síntomas premenstruales y para la salud en general. Te encantará cómo te hace sentir y cómo mejora tu aspecto. Bromas aparte, si todo el mundo hiciera yoga, seguro que viviríamos en paz unos con otros.

Dona sangre. Puedes ayudar a los demás y, a la vez, bajar de peso.

No hagas caso a los que critican el veganismo sin sentido. Normalmente los sostienen las industrias que ven peligrar su poder a causa de los veganos y su influencia. No creas en nada de lo que difunden. Es pura basura. Incluso hay estudios que afirman que someter a los niños a una dieta vegana es equivalente a abusar de ellos. Eso es lo que afirmaba el Consejo Nacional de Ganaderos que pagó por el estudio. Su experimento lo hicieron nada menos que con niños africanos desnutridos, niños que no comían más que pequeñas raciones de fríjoles y maíz. Cuando añadieron carne a su dieta, engordaron de inmediato.[225] Pero estaban hambrientos y desnutridos. Esto no prueba que el veganismo sea malo para la salud. Lo único que prueba esto es que el Consejo Nacional de Ganaderos se aprovechó del hambre y la debilidad de un grupo de niños para dar mala imagen al veganismo y para engrosar sus cuentas bancarias. Y esto es, además de una desgracia, una vergüenza para Estados Unidos de América.

CAPÍTULO 13

Usa la cabeza

No vuelvas a convertirte en una bola de grasa. Nunca más. Ahora que sabes cómo debes hacerlo, solo hazlo. Y no te vuelvas anoréxica por nuestra culpa. Cuando cambiamos de estilo de vida corremos el riesgo de sentirnos desbordadas. Pero no pierdas la calma. Ocúpate de elegir lo correcto y saludable y cuídate a ti misma. Y controla tu faceta más neurótica y obsesiva.

USA LA CABEZA. No lo podemos decir de una forma más directa. Usa la cabeza y piensa en lo que comes. Olvida todo lo que hayas leído hasta ahora, olvida lo que hayas escuchado o aprendido y solo piensa por ti misma. Una vez que hayas recuperado tu cuerpo, tu cerebro y tus instintos, podemos orientarte en el camino de la alimentación correcta. Síguelo y descarta cualquier otra opción o camino. Tú sabes la verdad.

Lee los ingredientes. Esto va de la mano con usar la cabeza. Si piensas comer alguna cosa, debes saber exactamente de qué se trata. Incluso si se trata de un producto que nosotras hayamos recomendado, debes leer los ingredientes con todo cuidado. Los fabricantes suelen cambiar sus fórmulas y recetas. Dos productos veganos, que al comienzo estaban en nuestra lista de preferencias, dejaron de estarlo mientras escribíamos este libro y debimos darlos de baja de nuestra lista de «recomendados». No confíes en nadie, ni siquiera en nosotras. Algunos de los productos que están en nuestra lista de preferencias no son realmente perfectos. Por eso hacemos ciertas concesiones basándonos en nuestras opiniones y deseos. Lee y decide por ti misma. Y si alguno de los ingredientes te resulta un total desconocido, llama al teléfono de contacto del fabricante, que aparece en el envase, y pregunta de qué se trata. Y si es algo que no es saludable meter en tu cuerpo, díselo, y exige la mejora del producto. Las compañías suelen tener en cuenta los comentarios de los consumidores, así que no te la quedes para ti. Suéltala.

Ahora que eres una *Skinny Bitch* no te vuelvas solo flaca y arrogante. Pensamos un título como *Skinny Bitch* para llamar la atención y vender libros. Queríamos que nuestro mensaje llegara lo más lejos que fuera posible y pensamos que un título como éste podía ser una buena manera de empezar a hacerlo. No hay nada más triste que una mujer guapa que se abandona. Si te ves bien, te sentirás bien contigo misma y te sentirás dichosa. En lugar de obsesionarte con los dos kilos que tienes que perder, celebra los dos que acabas de rebajar. La clave está en buscar un progreso y no la perfección. No compitas o te sientas intimidada por mujeres que consideres más delgadas o guapas que tú. Sonríe mucho, sé atenta y generosa con tus comentarios, muéstrate simpática con todos. Así serás cada vez más guapa, más elegante, más descarada...

Muy pronto sentirás que la gente (y especialmente los hombres), te buscan y quieren tu compañía. No es solo porque estés guapa, delgada o en forma, es porque estás contenta, con buena salud y porque te alimentas con una dieta que no incluye la crueldad entre sus principales ingredientes. Comparte la valiosa información que posees ahora con quien la necesite. Difunde lo que crees correcto, pero no te pases, no debes convertirte en una predicadora. Verás muchas personas ponerse a la defensiva cuando le hables de tu forma de alimentarte y la comparen con la suya. Y aunque tú seas imparcial, mucha gente se sentirá intimidada por tu coherencia y rectitud. Y es comprensible, tu manera de alimentarte es como una luz que ilumina la crueldad de la que ellos hacen parte, y esto los puede hacer sentir incómodos. Cuando te pregunten, puedes describir lo que has conocido respecto al tratamiento que se da a los animales en las granjas industriales, así como los beneficios de seguir una dieta vegana. Pero, sobre todo, deja que vean lo bien que te sientes y los kilos que has perdido. Pero nunca les digas que deben dejar su manera de comer ni intentes hacerlos sentir culpables por ella. Déjales tu ejemplar de *Skinny Bitch* o sugiéreles que visiten el sitio web de GoVeg.com. Pero no presiones. Cada uno ve la verdad en su momento y a su manera.

Ahora que tienes tu dieta, salud y aspecto físico bajo control, ocúpate de otras partes de tu vida. Después de todo, no tendrás posibilidad de éxito si tu vida es un cúmulo de desórdenes y contradicciones. No sigas con las relaciones que te hagan sentir dependiente. Si tienes un trabajo que te desagrada, plantéate dejarlo, y déjalo. Apártate de los amigos más «tóxicos». Hazte una lista de objetivos y comienza a cumplirlos uno por uno. ¡SE TRATA DE TU PROPIA VIDA! Vívela al máximo, sin cortarte. Aprovecha cada día. Y así todos los días. Vive. Busca el trabajo de tus sueños. Busca al hombre de tus sueños. No temas. Inténtalo todo, con todas tus fuerzas. Baila. El pasado nunca vuelve, pero el presente es tuyo: tómalo. Hazlo lo mejor posible.

Felicidades. Has encaminado tu vida y tu forma de alimentarte. Pero todavía necesitas mover el culo. El ejercicio aumenta la autoestima, reduce tus deseos de «comida basura», y te ayuda a *bajar de peso*. Si puedes seguir una rutina en un gimnasio, fantástico. Llegarás antes a cumplir tus objetivos físicos. Pero no necesitas quedarte a vivir en el gimnasio. ¡Solo debes hacer algo de ejercicio! Hasta puede ser agradable. Toma algunas clases de una disciplina que te resulte agradable o atractiva, como aeróbic o danza del vientre. Camina después de comer o pasea en bicicleta los fines de semana. Y mejor aún, ve al trabajo en bicicleta o andando. Elijas lo que elijas, el ejercicio te hará sentir mejor contigo misma.

Tú *eres* lo que *piensas*. Nuestros sentimientos, pensamientos y creencias generan reacciones concretas y tangibles a nivel celular y a nivel atómico. Y no importa si esto es del todo «real» o más bien «figurado». Lo que pensamos, sentimos, creemos o experimentamos puede convertirse en realidad. Piensa un poco en ello y en la resonancia que tiene en tu vida. Puede volverse en tu contra. Por ejemplo, si tú piensas que estás gorda, que las dietas no funcionan, y que siempre serás gorda, entonces sí, tú eres gorda, las dietas no te servirán y siempre serás gorda. Lo que piensas queda registrado en tu cerebro y tus células y en el campo de energía que te rodea. Tus pensamientos tienen ese poder. Si sientes que tu destino es estar delgada, si crees que este libro puede lograrlo y sabes que todo esto puede cambiar tu vida, entonces estarás en forma, bajarás de peso y tu vida podrá cambiar. Es así de sencillo.

En su libro *Anatomía del espíritu*, la doctora Caroline Myss profundiza en la incuestionable relación que existe entre las emociones negativas y las enfermedades físicas. Tomemos el «caso Julie», por ejemplo. Su marido la trata con desprecio y desdén, con frecuencia dice que su mera presencia le desagrada, y no quiere dormir con ella. No es casualidad que a Julie se le haya diagnosticado cáncer de mamas y de ovarios, ya que es el reflejo de su absoluta falta de autoestima y de «orgullo femenino». Julie no dejó a su esposo. Nunca se recuperó del cáncer y acabó perdiendo la vida por ello.[226] Tomemos otro caso, el caso de Joana. Ella estaba casada con un hombre que tenía líos de faldas con muchas mujeres, y a pesar de saberlo seguía viviendo junto a él. En este caso, no os sorprendáis, también sufrió cáncer de mama. A veces, ella enfrentaba a su esposo y le exigía fidelidad. Sin embargo, él era incapaz de cambiar, por lo que ella lo abandonó. Joana se recuperó de su cáncer. En *Anatomía del espíritu* se recogen docenas de historias de personas que enfermaron o se curaron a través de sus pensamientos y emociones. Por supuesto, de ninguna manera afirmamos que quien sufre este tipo de enfermedades pueda curarse por su propia cuenta. Decimos, solamente, que es una posibilidad real.

Nuestras mentes son enormemente poderosas. Nuestros gurús favoritos de la autoayuda, el doctor Wayne Dyer, Louise Hay y Tom Robbins, lo han comprobado y por eso predican la utilidad del ejercicio de la «diaria afirmación». Una afirmación es una declaración positiva que se hace para visualizar y alcanzar claramente un objetivo u objetivos:

«Cada día y siempre mi trasero se hace más pequeño.»
«Cada día y siempre mis muslos están más delgados.»
«Cada día y siempre pierdo un poco de peso.»
«Cada día y siempre amo más mi cuerpo.»
«Cada día y siempre como de una manera más y más sana.»

Crea tus propias afirmaciones y dilas (mentalmente o en voz alta, siempre que puedas) cuando te levantas por la mañana, mientras haces ejercicio, en el coche, o al meterte en la cama por la noche. En poco tiempo notarás que te sientes mejor y te sorprenderán los resultados. Este libro es el resultado de nuestras propias afirmaciones, por lo que sabemos positivamente que funciona.

Ahora que te quieres a ti misma, vístete de forma sexy. Trabajas duro para tener ese cuerpo y debes estar orgullosa de él. Sabemos lo terrible que es llevar alguna prenda especial mientras sientes que no tienes el tipo o el derecho de llevarla. Pero tú eres lo bastante guapa para hacerlo, te lo mereces y no hay nadie que piense lo contrario. Este es tu cuerpo, y lo será mientras tú vivas. Vístelo como quieres hacerlo y ámalo. ¿Por qué evitas ponerte ciertos modelos o alguna ropa interior? Úsala, no seas tonta. Pero recuerda que vestirte de forma poco armónica o cursi no es el objetivo de nadie. Si no tienes idea de moda o un buen sentido estético, pide ayuda a alguien.

Te estamos animando a que cuides mucho tu aspecto exterior, pero, por favor, nunca mezcles tu valía con tu apariencia. Somos seres espirituales metidos dentro de estos extraños trajes de piel. Las cosas interiores son mucho más importantes que las exteriores. Nunca te des una medida de ti como persona prestando atención a lo que dicen los hombres. Es agradable ser apreciadas, pero no es una necesidad. Ámate a ti misma y ama tu aspecto, aunque nadie más lo haga. Con el tiempo, tu confianza en ti misma y tu amor propio ganarán y serás atractiva.

Bueno, esto es todo, en blanco y negro. Esperamos, sinceramente, que todo lo expuesto y aprendido te sirva para ponerlo en práctica. Tú tienes el poder de cambiar tu vida, y no es algo tan difícil. Usa tu cabeza, pierde algo de trasero.

Rory Freedman y Kim Barnouin

Epílogo

¿No es el hombre un animal extraño? Mata millones de animales para proteger a sus animales domésticos y su alimento. También mata millones de animales domésticos y se los come. Al final, esto matará al hombre, ya que comer todos esos animales lo lleva a sufrir enfermedades degenerativas y pésimas condiciones de salud, enfermedades cardíacas, disfunciones renales y cáncer. Y el hombre también mata animales para buscar remedio a esas enfermedades. Mientras, millones de seres humanos mueren de hambre porque la comida se utiliza para engordar a los animales domésticos. A la vez, hay gente que muere a causa de las absurdas actividades del hombre, que mata con una pasmosa facilidad y violencia, mientras aparenta rezar por ¿la Paz en la Tierra?

Prefacio de *Old McDonald's Factory Farm*
por DAVID COATES

Lecturas recomendadas

Libros
Títulos en idioma original de publicación:
Slaughterhouse, Gail A. Eisnitz. (Este libro es de lectura obligada para cualquier persona que haya comido carne alguna vez, que la consuma ahora o que no esté segura de si debe o no debe seguir haciéndolo.)
Vegan: The New Ethics of Eating, Erik Marcus.
The Food Revolution, John Robbins.
Fast Food Nation, Eric Schlosser.
Breaking the Food Seduction, Neal Barnard, MD.
Carbophobia: The Sorry Truth About America's Low-Carb Craze, Michael Greger, MD.
A Way Out: Dis-ease Deception & The Truth About Health, Matthew Grace (matthewgrace.com).

Revistas
VegNews (vegnews.com).
Satya (satyamag.com).

Libros y discos de autoayuda y orientación espiritual
Títulos en idioma original de publicación:
Your Erroneous Zones, doctor Wayne Dyer.

Real Magic, doctor Wayne Dyer.
You'll See It When You Believe It, doctor Wayne Dyer.
Notes from a Friend, Anthony Robbins.
Get the Edge CDs, Anthony Robbins.
You Can Heal Your Life, Louise L. Hay.
Anatomy of the Spirit, Caroline Myss, Ph.D.

Libros de cocina

Títulos en idioma original de publicación:
The Uncheese Cookbook, Joanne Stepaniak.
The Garden of Vegan, Tanya Barnard and Sara Kramer.
How it all Vegan, Tanya Barnard and Sara Kramer.
The Compassionate Cook, PETA & Ingrid Newkirk.
CalciYum, David & Rachelle Bronfman.
The Native Foods Restaurant Cookbook, Tanya Petrovna.
The Candle Caf Cookbook, Joy Pierson and Bart Potenza with
    Barbara Scott-Goodman.
Viva le Vegan!, Dreena Burton.
Very Vegetarian, Jannequin Bennet.
Veganpeace.com, recetas, revistas y libros de cocina vegana.

Guías de restaurantes

vegoutguide.com
happycow.net
vegdining.com
The Tofu Tollbooth, Elizabeth Zipern and Dar Williams.
VegOut: Vegetarian Dining Guide to New York City, Justin
    Schwartz
VegOut: Vegetarian Dining Guide to Seattle and Portland,
    George B. Stevenson VegOut: Vegetarian Dining Guide to
    Washington, D.C., Andrew Evans.
VegOut: Vegetarian Dining Guide to San Francisco, Michele
    Ana Jordan.

VegOut: Vegetarian Dining Guide to Southern California, Kathy Lynn Siegel.

VegOut: Vegetarian Dining Guide to Chicago, Margaret Littman.

VegOut: Vegetarian Dining Guide to Houston, Ann Sieber.

VegOut: Vegetarian Dining Guide to Salt Lake City/Denver, Andrea Mather.

Sitios web

veganstore.com

VeganEssentials.com

AnimalRights Stuff.com

AlternativeOutfitters.com

feelgoodtees.com

mooshoes.com

veganunlimited.com

TheVegetarianSite.com

VegSexShop.com

GoVeg.com

meat.org peta.org

farmsanctuary.org

pcrm.org

cok.net

protectinganimals.org

veganmd.org

atkinsexposed.org

atkinsdietalert.org

VeganOutreach.org

afa-online.org

informedeating.org

organicconsumers.org

holisticmed.com

congress.org

anthonyrobbinsdc.com
drwaynedyer.com
hayhouse.com
oa.org (overeaters anonymous), 505-891-2664
vegieworld.com
deliciouschoices.com
veganstore.com
rawbalance.com
playfood.org
TreeHugginTreats.com
simpletreats.com
chocolatedecadence.com
leaheyfoods.com
vegandreams.com
goodbaker.com
rosecitychocolates.com
eatraw.com
nutrilicious.com
allisonsgourmet.com
healthy-eating.com

Bibliografía

Armstrong, Clare, MS, RD. Discovery Health.com. The Discovery Channel, actualizada 25 de septiembre de 2002; consultada 20 de enero de 2005, http://health.discovery.com/encyclopedias/1940.html.

Aspartame Victims Support Group, presidiotex.com, actualizada 13 de enero de 2005; consultada 20 de enero de 2005, http://www. presidiotex.com/aspartame/.

Atkins, Robert C., M.D. Dr. Atkins' New Diet Revolution. New York: Avon, 2002. Baillie-Hamilton, Paula, M.D., Ph.D. The Body Restoration Plan. New York: Avery, 2003.

«Banned as Human Food, StarLink Corn Found in Food Aid.» Environmental News Service, 16 de febrero de 2005; consultada 20 de febrero de 2005, http://www.ens-newswire.com/ens/feb2005/2005-02-1609.asp#anchor2.

«Barcelona Report», presidiotex.com, 12 de enero de 2005, consultada 9 de septiembre de 2005, http://www.presidiotex.com/barcelona/.

Barnard, Neal M.D. Breaking The Food Seduction: The Hidden Reasons Behind Food Cravings y 7 Steps to End Them Naturally. New York: St. Martin's, 2003.

Beck, Leslie, R.D. The Ultimate Nutrition Guide For Women: How to Stay Healthy with Diet, Vitamins, Minerals, and Herbs. Hoboken: John Wiley & Sons, 2001.

Bellon, Roberta. National Justice League. «Aspartame Lawsuits Accuse Many Companies Of Poisoning The Public», 6 de abril de 2004, consultada 10 de febrero de 2005, http://www. newmediaexplorer.org/sepp/2004/04/09/aspartame_neuro toxic_coca_co la_pepsi_nutra_sweet_sued_in_california.htm.

Boschen, Hank. «Cycles of the Body», thejuiceguy.com, 10 de febrero de 2005, http://www.juiceguy.com/cycle.shtml.

Bray, George A., Samara Joy Nielson, and Barry M. Popkin. «Consumption of high-fructose corn syrup in beverages may play a role in the epidemic of obesity.» American Journal of Clinical Nutrition, vol. 79, 4, 537-543, abril 2004, http://www. ajcn.org/cgi/content/abstract/79/4/537. 1 From the Pennington Biomedical Research Center, Louisiana State University, Baton Rouge, LA (GAB), and the Department of Nutrition, University of North Carolina, Chapel Hill (SJN and BMP).

Brown, Harold. e-mail dirigido Rory Freedman, 21 de marzo de 2005.

Brownlee, Christen. The Beef about UTIs, vol. 167 n.° 3, 15 de enero de 2005; consultada 20 de enero de 2005, http://www. sciencenews.org/articles/20050115/food.asp.

Burros, Marian. «Splenda's "Sugar" Claim Unites Odd Couple of Nutrition Wars.» New York Times, 15 de febrero de 2005; consultada 20 de febrero de 2005, www.skyhen.org/Corpo ratePower/splendas_ sugar_ claim_unites_odd_couple_of_ nutrition_wars.php.

Caffeine. eCureMe Inc., consultada 10 de febrero de 2005, http://life.ecureme.com/healthyliving/naturalmedicine/n_caf feine.

Caring Consumer Guide.Peta.org, consultada 26 de marzo de 2005, www.caringconsumer.com/ingredientslist.html.

Chandel, Amar. «Sweet Poison», The Tribune Spectrum, 14 de marzo de 2004; consultada 22 de marzo de 2005, www.tribu neindia.com/2004/20040314/spectrum/main1.htm.

Cichoke, Anthony J., D.C. Enzymes & Enzyme Therapy: How to Jump Start Your Way to Lifelong Good Health. New Canaan: Keats Publishing Inc., 1994.

Coates, C. David. Old MacDonald's Factory Farm. New York: The Continuum Publishing Co., 1989.

Cohen, Robert. Essence of Betrayal, consultada 1 de marzo de 2005, http://www.notmilk.com/forum/594.html.

«Common Dairy Digestive Under-Recognized and UnderDiagnosed in Minorities.» Johnson & Johnson, consultada 13 de febrero de 2005, www.jnj.com/news/jnj_news/20020311_0944.htm.

Cook, Christopher D. «Environmental Hogwash: The EPA works with factory farms to delay regulation of "Extremely Hazardous Substances".» 6 de octubre de 2004; consultada 207 de enero de 2005, www.inthesetimes.com/site/main/print/environmental_hogwash/.

Cousens, Gabriel M.D. Conscious Eating. Berkeley: North Atlantic Books, 2000.

Cousin, Jean Pierre and Kirsten Hartvig. Vitality Foods For Health and Fitness. London: Duncan Baird, 2002.

Davis, Gail. «A Tale of Two Sweeteners: Aspartame & Stevia», consultada 12 de febrero de 2005, http://suewidemark.net firms.com/davis.htm.

Des Maisons, Kathleen, Ph.D. Potatoes Not Prozac. New York: Fireside, 1998.

Diamond, Harvey and Marilyn. Fit For Life. New York: Warner, 1985.

Diamond, Harvey and Marilyn. Fit For Life II: Living Health. New York: Warner, 1987.

Eisnitz, Gail A. «Ask the Experts.» Peta.org, consultada 17 de marzo de 2005, www.goveg.com/vegkit/meet.asp. Eisnitz, Gail A. Slaughterhouse: The Shocking Story of Greed, Neglect, and Inhumane Treatment Inside the U.S. Meat Industry. Amherst: Prometheus Books, 1997.

«Factory Farming: Environmental Consequences.» Animalalliance.ca, consultada 29 de marzo de 2005, www.animalalliance.ca/kids/facfar1.htm#environment.

«Fact vs. Fiction.» Thetruthaboutsplenda.com, consultada 14 de febrero de 2005, www.truthaboutsplenda.com/factvsfiction/index.html.

Farlow, Christine Hoza, D.C. Food Additives: A Shopper's Guide to What's Safe & What's Not. Escondido: KISS for Health, 2004. «FDA Approved Animal Drug Products.» FDA «Green Book» section, consultada 21 de marzo de 2005, http://dil.vetmed.vt.edu/NadaFirst/NADA.cfm.

«Fish and Shellfish: Contamination Problems Preclude Inclusion in the Dietary Guidelines for Americans.» Pcrm.org, Spring 2004, consultada 31 de marzo de 2005, www.pcrm.org/health/reports/fish_report.html.

«Fish Feel Pain.» Fishinghurts.com, consultada 3 de marzo de 2005, www.fishinghurts.com/FishFeelPain.asp.

«Food Additives.» New-fitness.com, consultada 4 de febrero de 2005, www.new-fitness.com/nutrition/food_additives.html.

«Food and Nutrition Assistance Programs.» Economic Research Service, U.S. Department of Agriculture, USDA.gov; actualizada 18 de marzo de 2005; consultada 22 de marzo de 2005, www.ers.usda.gov/Briefing/FoodNutritionAssistance/.

«Free-Range Eggs and Meat: Conning Consumers?» Peta.org, consultada 16 de marzo de 2005, http://www.peta.org/mc/factsheet_display.asp?ID=96.

Fuhrman, Joel M.D. Eat to Live. Boston, New York, London: Little, Brown, 2003.

Gates, Donna. The Body Ecology Diet (except from), consultada 25 de febrero de 2005, http://www.holisticmed.com/swe et/ stv-cook.txt.

Gee, Margaret. Words of Wisdom Calendar. Kansas City, MI: Andrews McMeel, 2004.

Gold, Mark. «Formaldehyde Poisoning from Aspartame», 9 de diciembre de 1998; consultada 6 de marzo de 2005, www.ho listicmed.com/aspartame/embalm.html.

—, «Aspartame/NutraSweet Toxicity Summary», 30 de noviembre de 2000; consultada 3 de Marzo de 2005, www.holistic-med. com/aspartame/summary.html.

—, «Common Toxic and Unhealthy Substances to Avoid», consultada 28 de febrero de 2005, http://www.holisticmed.com/ aspartame/history.faq.

—, «Scientific Abuse in Methanol/Formaldehyde Research Related to Aspartame», consultada 12 de enero de 2005, http://www.holisticmed.com/aspartame/abuse/methanol.html. Gold, Mark. «Toxicity Effects of Aspartame Use», consultada 2 de febrero de 2005, www.holisticmed.com/aspartame/

—, «The Bitter Truth about Artificial Sweeteners.» truthcam paign.ukf.net. consultada 23 de marzo de 2005, http://www. truthcampaign.ukf.net/ articles/health/aspartame.html.

Grace, Matthew. A Way Out: Dis-Ease Deception and The Truth About Health.U.S.A: Matthew Grace, 2000. «The Great Sugar Debate: Is It Vegan?», consultada 20 de febrero de 2005, http://www.vegfamily.com/articles/sugar.htm.

Green, Che. «Not Milk: The USDA, Monsanto, and the U.S Dairy Industry.» LiP Magazine, 9 de julio de 2002; consultada 20 de febrero de 2005, http://www.alternet.org/ story/13557/.

Greger, Michael, M.D. «Rocket Fuel in Milk», consultada 23 de enero de 2005, http://all-creatures.org/health/rocket.html.

Grogan, Bryanna Clark. «A Few Words About Sugar and Other Sweeteners», consultada 2 de febrero de 2005, http://www. vegsource.com/articles/bryanna_sugar.htm.

«Growing and Processing Sugar.» The Sugar Association; consultada 12 de enero de 2005, http://www.sugar.org/facts/grow.html.

Harris, Simon. «Organic Consumers Association (OCA) Denounces Degradation of Organic Food Standards by Congress», consultada 10 de febrero de 2005, http://environ ment.about.com/library/pressrelease/bloca.htm.

Hasselberger, Sepp. «Aspartame: RICO Complaint Filed Against NutraSweet, ADA, Monsanto.» 17 de septiembre de 2004; consultada 15 de febrero de 2005, http://www.newmediaex plorer.org/sepp/2004/09/17/aspartame_rico_complaint_ filed_against_nutrasweet_ada_m onsanto.htm.

Hatherill, Robert J., Ph.D. Eat to Beat Cancer. Los Ángeles: Renaissance Books, 1998.

Healthy Child Online Articles and Resources, consultada 2 de marzo de 2005, http://www.healthychild.com/database/life_is_swe et_ a_guide_to_using_healthy_sweeteners.htm, «The Hidden Lives of Chickens», consultada 3 de marzo de 2005, http://www.peta.org/feat/hiddenlives/.

Holford, Patrick. The Optimum Nutrition Bible. Berkeley: The Crossing Press, 1999.

Howell, Edward M.D. Enzyme Nutrition: The Food Enzyme Concept.U.S.A.: Avery, 1985.

Howell, Laurie. «#193 Why Choose Organic Coffee?» consultada 25 de febrero de 2005, http://www.thegreenscene.com/ shows/193.html, «Investigation Reveals Slaughter Horrors at Agriprocessors.» Peta.org, consultada 17 de marzo de 2005, www.goveg.com/feat/agriprocessors/.

Johnson, Lucy. «Aspartame . . . A Killer!» The Sunday Express London, U.K. Newfrontier.com; consultada 21 de Marzo de 2005, http://www.newfrontier.com/asheville/aspartame.htm.

Kamen, Betty, Ph.D. New Facts About Fiber. Novato: Nutrition Encounter, 1991.

Krebs, A.V. «USDA Accused of Allowing "Sham Certifiers" into the National Organic Program.» The Agribusiness Examiner. Issue #367, 23 de agosto de 2004; consultada 25 de enero de 2005; http://www.organicconsumers.org/organic/ usda.cfm.

Krumm, Susan. «Refining process has sweet ending.» Lawrence Journal-World, 13 de junio de 2001; consultada 20 de enero de 2005, http://ljworld.com/section/cookingqa/story/55875.

Langeland, Terje. «Tainted Meat, Tainted Money: Consumer groups decry coziness between government, agribusiness.» Colorado Springs Independent online edition, 1-4 de agosto de 2002; consultada 20 de febrero de 2005, http://www.csindy.com/csindy/200208-01/cover2.html.

Langley, Gill, MA, Ph.D. Vegan Nutrition: A Survey Of Research. Oxford: The Vegan Society, 1988. «The Latest In Cancer: "White Meat" Linked to Colon Cancer.» Pcrm.org, Winter 99; consultada 28 de marzo de 2005, http://www.pcrm.org/magazine/GM99Winter9.html.

Leake, Jonathon. «The rich and emotional lives of cows.» News.com; consultada 28 de febrero de 2005, http://www.news.com/au/story/0,10117,12390397-13762,00.html.

Mason, Jim and Peter Singer. Animal Factories. New York: Crown, 1990.

McCaleb, Rob. «Stevia Leaf-Too Good To Be Legal?» Herb Research Foundation, consultada 14 de febrero de 2005, http://www.holisticmed.com/sweet/stv-faq.txt.

«Men's Health Warns of Foods You Should Never Eat.» Peta.org, consultada 23 de marzo de 2005, http://www.peta.org/feat/menshealth/.

Mercola, Joseph, M.D. with Alison Rose Levy. The No-Grain Diet: Conquer Carbohydrate Addiction and Stay Slim for Life. New York: Dutton, 2003.

—, «The Potential Dangers of Sucralose.» Vitaminlady.com; consultada 9 de septiembre de 2005, http://www.vitaminlady.com/articles/sucralose.asp.

—, «The Secret Dangers of Splenda (Sucralose), an Artificial Sweetener», 3 diciembre de 2000; consultada 20 de febrero de 2005, http://www.mercola.com/2000/dec/3/sucralose_dangers.htm.

—, «Splenda-Here We Go Again.» 21 de julio de 2004; consultada 12 de febrero de 2005, http://www.mercola.com/fcgi/pf/2004/jul/21/ splenda.htm.

—, «US "Food Pyramid" Invalid as It was Made by Experts with Conflicts of Interest.» 19 de noviembre de 2000; consultada 10 de enero de 2005, http://www.mercola.com/2000/nov/19/food_pyramid.htm.

«Milk Sucks.» Peta.org.; milksucks.com, consultada 12 de marzo de 2005, http://www.milksucks.com/ Mindell, Earl R., Ph.D. with Hester Mundis. Earl.

Mindell's New Vitamin Bible. New York, Boston: Warner, 2004.

«Molasses.» Everything2com, 2 de octubre de 2003; consultada 2 de febrero de 2005, http://www.everything2.com/index.pl?node=molasses.

«Molasses nutrition data.» Nutritiondata.com, consultada 3 de marzo de 2005, http://www.nutritiondata.com/facts-001-02s04at.html.

Murray, Rich. «How Aspartame Became Legal-The Timeline.» 24 de diciembre de 2002; consultada 5 de marzo de 2005, http://www.quantumbalancing.com/news/aspartameapproved.htm.

Myss, Caroline, Ph.D. Anatomy of the Spirit: The Seven Stages of Power and Healing. New York: Three Rivers, 1996.

«National Cattleman's Beef Association Pays for Sadistic Anti-Vegan Study.» Vegsource Interactive Inc., consultada 22 de febrero de 2005, http://www.vegsource.com/articles2/ncbs_vegan_study.htm.

«National Soft Drink Association Protest (Summary)» Congressional Record-Senate, 11 de marzo de 2005; consultada 20 de enero de 2005, http://www.dorway.com/nsda.txt.

«Nation's Largest Organic Dairy Brand, Horizon, Accused of Violating Organic Standards.» The Cornucopia Institute,

16 de febrero de 2005, consultada 2 de marzo de 2005, http://www.organicconsumers.org/organic/horizon21705.cfm

«Natural Sweeteners.» Natural Nutrition, consultada 2 de febrero de 2005, http://www.livrite.com/sweeten.htm.

«Natural Sweetener-Safe for Diabetics», consultada 15 de febrero de2005, http://www.primalnature.com/stevia.html.

Ness, Carol. «Organic Food: Outcry Over Rule Changes that Allow More Pesticides, Hormones.» The San Francisco Chronicle, 22 de mayo de 2004, consultada 2 de marzo de 2005, http://www.commondreams.org/cgi-bin/print.cgi?file=/head lines04/0522-09.htm.

Nestle, Marion. Food Politics: How the Food Industry Influences Nutrition and Health. California: University of California, 2000.

Notmilk.com. 5 de marzo de 2005, http://notmilk.com/forum/526.html.

«OCA and Environmental Groups Sue USDA to Enforce Strict Standards: Environmental Groups Back Harvey Lawsuit.» Organic Business News. Diciembre de 2004, vol. 16, n.º 12; consultada 12 de enero de 2005, http://organicconsumers. org/organic/lawsuit010505.cfm.

«Organic Industry and Consumers Celebrate USDA Reversal on Non-Food National Organic Standards» press release, 26 de mayo de 2004; consultada 10 de febrero de 2005, http://www.westonaprice.org/federalupdate/aa2004/infoalert_052604.html Pert, Candace B., Ph.D. Molecules of Emotion. New York: Scribner, 1997.

«Pigs: Smart Animals at the Mercy of the Pork Industry.» Peta.org, consultada 3 de marzo de 2005, http://www.peta. org.factsheet/files/FactsheetDisplay.asp? ID=119.

Pyevich, Caroline. «Sugar and other sweeteners: Do they contain animal products?» Vegetarian Journal.Volumen XVI, n.º 2, marzo/abril de 1997; consultada 25 de febrero de 2005, http://www.stanford.edu/group/vegan/sweeteners.htm.

Robbins, John. Diet For A New America. Walpole: Stillpoint, 1987.

Roberts, H.J., M.D. «The Bressler Report.» Sun Sentinel Press; consultada 22 de febrero de 2005, http://www.presidiotex.com/bressler/.

«Salts That Heal and Salts That Kill.» Curezone.com, consultada 14 de marzo de 2005, http://www.curezone.com/foods/saltcure.asp.

Savona, Natalie. The Kitchen Shrink: Foods and Recipes for a Healthy Mind. London: Duncan Baird, 2003.

Schlosser, Eric. «The Cow Jumped Over the U.S.D.A.» *New York Times*, 2 de enero de 2004; consultada 1 de marzo de 2005, http://www.commondreams.org/views04/0102-06.htm.

—, Fast Food Nation: The Dark Side of the All-American Meal. New York: Perennial, 2002.

Severson, Kim. «Sugar coated: We're drowning in high fructose corn syrup. Do the risks go beyond our waistline?» San Francisco Chronicleon the Web, 18 de febrero de 2004; consultada 10 de febrero de 2005, http://www.sfgate.com/cgi-bin/article.cgi?f=/chronicle/ archive/2004/02/18/FDGS24VK MH1.DTL.

Simon, Michele. «Dairy Industry Propaganda: Tale of Two MegaCampaigns.» Originally published at Vegan.com, abril de 1999; consultada 7 de febrero de 2005, http://www.informedeating.org/ docs/dairy_industry_propaganda.html.

—, «Misery on the Menu: The National School Lunch Program.» Originally published in The Animal's Agenda, septiembre-octubre de 1998; consultada 7 de febrero de 2005, http:// www.informedeating.org/docs/misery_on_the_menu.html.

—, JD, MPH. «The Politics of Meat and Dairy.» Earthsave.org, consultada 26 de enero de 2005, http://wwwearthsave.org/news/polsmd.htm.

«Soft Drinks, High-Fructose Corn Syrup Promote Diabetes, Says Study.» 10 de marzo de 2005; consultada 15 de marzo de 2005, http://www.newstarget.com/002584.

Squires, Sally. «Sweet but Not So Innocent?» The Washington Post on the Web, 11 de marzo de 2003; consultada 18 de febrero de 2005, http://www.washingtonpost.com/ac2/wp-dyn/A80032003 Mar10?language=printer.

Steinman, David. Diet for a Poisoned Planet: How to Choose Safe Foods for You and Your Family. New York: Harmony, 1990.

«Sugar Blues.» Natural Nutrition, consultada 2 de febrero de 2005, http://livrite.com/sugar1.htm.

«Surgeon General Asks: Got Bones?» Gotmilk.com, 26 de octubre de 2004; consultada 21 de marzo de 2005, http://www.gotmilk.com/news/news_035.html.

«10 Reasons to Avoid Acidosis.» Poly MVA Survivors.com, consultada 28 de marzo de 2005, http://polymvasurvivors.com/4corners_coral.html.

«The U.S. Food and Drug Administration (FDA) and the glutamate industry.» 12 de julio de 2004; consultada 4 de febrero de 2005, http://www.truthinlabeling.org/legislators2.html.

«Two New Studies Sour Milk's Image.» Pcrm.org, 3 de diciembre de 2004; consultada 20 de marzo de 2005, http://www.pcrm.org/news/release041202.html.

«Unhealthy link between caffeine and diabetes.» CBC Health & Science News, 9 de enero de 2002; consultada 20 de febrero de 2005, http://www.cbc.ca/story/science/national/2002/01/09/caffeine_diabetes020109.html.

«USDA Cover-Up of Mad Cow Cases.» Organicconsumers.org, 10 de mayo de 2005; consultada 1 de junio de 2005, http://www.organicconsumers.org/bytes/051005.cfm.

«USDA won't stop use of illegal hormones in the veal industry: cancer rates skyrocket in humans.» 26 de enero de 2005; consultada 27 de enero de 2005, http://www.newstarget.com/z0001067.html.

U.S. Department Of Agriculture. APIS Veterinary Services. Enero de 2005. «National Animal Identification System:

Goal and Visions», consultada 12 de marzo de 2005, http://
animalid.usda.gov/ nais/about/nais_overview_factsheet.shtml.

—, «About USDA"; consultada 12 de marzo de 2005, http://www.
usda.gov/wps/portal/!ut/p/_s.7_0_A/7_0_1OB? navtype=
MA&navid=ABOUT_USDA.

U.S. Department of Health and Human Services. «Symptoms
Attributed to Aspartame in Complaints Submitted to the
FDA.» 20 de abril de 1995; consultada 22 de febrero de 2005,
http://www.presidiotex.com/ aspartame/Facts/92_Symptoms/
92_symptoms.html.

Van Straten, Michael. Super Detox. London: Quadrille, 2003.

«Vegan FAQs.» Vegan Action, consultada 20 de enero de 2005,
http://www.vegan.org/FAQs/.

«Vegetarian and Vegan Famous Athletes.» Veggie.org, consultada 21 de marzo de 2005, http://veggie.org/veggie/famous.
veg.athletes.shtml.

Waehner, Paige. «Exercise Bulimia, the New Eating Disorder»,
consultada 5 de marzo de 2005, http://exercise.about.com/cs/
exercisehealth/a/exercisebulimia_p.htm.

Wangen, Stephen N.D. «Food Allergy Solutions Review.» Food
AllergySolutions.com, julio de 2003; consultada 28 de marzo de 2005, http://www.foodallergysolutions.com/food-
allergynews0307.

Weil, Andrew, M.D. Natural Health, Natural Medicine. Boston:
Houghton Mifflin, 1998.

—, «Does Soy Have a Dark Side?» Dr. Andrew Weil's Self
Healing, marzo de 2003; consultada 15 de marzo de 2005,
http://www.drweilselfhealing.com.

Weiss, Suzanne E. Reader's Digest: Foods that Harm, Foods that
Heal: An A-Z Guide to Safe and Healthy Eating. Pleasant-
ville: The Reader's Digest Association Inc., 1997.

Whitney, Eleanor Noss, and Sharon Rady Rolfes. Understanding Nutrition, 8th ed. Belmont: Wadsworth, 1999.

Wijers-Hasegawa, Yumi. «Bayer's GE Crop Herbicide, Glufo-
    sinate, Causes Brain Damage.» Goldenharvestorganics.com,
    consultada 28 de marzo de 2005, http://www.ghorganics.com/
    COMMON%20PESTICIDE%20CAUSES%20AGGRES
    SION%20&%20BRAIN%20DAMAGE.htm.
Young, Robert O., Ph.D., y Shelley Redford Young. The pH Mi-
    racle: Balance Your Diet, Reclaim Your Health. New York:
    Warner, 2002.

Notas

1. Steinman, *Diet for a Poisoned Planet*, 166-167.
2. Young, *The pH Miracle: Balance Your Diet*, Reclaim Your Health, 90.
3. Gold, «Formaldehyde Poisoning from Aspartame.»
4. Steinman, 190.
5. *Ibid.*, 191.
6. «Caffeine», ecuremelife.com.
7. «Unhealthy link found between caffeine and diabetes», CBC Health & Science News.
8. Young, 51.
9. *Ibid.*, 24-25.
10. Howell, «Why Choose Organic Coffee?».
11. Steinman, 355.
12. Young, 75.
13. Waehner, «Exercise Bulimia, the New Eating Disorder.»
14. Pert, *Molecules of Emotion*, 321-322.
15. Whitney and Rolfes, *Understanding Nutrition*, 44.
16. Diamond, *Fit for Life*, 65-69.
17. Chandel, «Sweet Poison», *The Sunday Tribune Spectrum*, tribuneindia.com.
18. «Sugar Blues», *Natural Nutrition*, livrite.com.
19. Chandel.

20. «Soft Drinks, High-Fructose Corn Syrup Promote Diabetes, Says Study», newstarget.com.

21. Davis, «A Tale of Two Sweeteners: Aspartame & Stevia», suewidemark.netfirms.com.

22. «Natural Sweeteners, *Natural Nutrition*, livrite.com.

23. Gold, «Common Toxic and Substances to Avoid», holisticmed.com.

24. Murray, «How Aspartame Became Legal-The Timeline», quantumbalancing.com.

25. *Ibid.*

26. *Ibid.*

27. «Department of Health and Human Services-Symptoms Attributed to Aspartame in Complaints Submitted to the FDA», U.S. Department of Health and Human Services, presidiotex.com.

28. Johnson, «Aspartame... A Killer!». *The Sunday Express London*, newfrontier.com.

29. Hasselberger, «Aspartame: RICO Complaint filed Against Nutra-Sweet, ADA, Monsanto», newmediaexplorer.org.

30. Young, 89.

31. Gold, «The Bitter Truth about Artificial Sweeteners», truthcampaign.ukf.net.

32. *Webster's New World Dictionary* (1982), s.v. «saccharin.»

33. Mercola, «The Potential Dangers of Sucralose, vitaminlady.com

34. Mercola, «Splenda-Here We Go Again», mercola.com.

35. Mercola, «The Potential Dangers of Sucralose».

36. Burros, «Splenda's "Sugar" Claim Unites Odd Couple of Nutrition Wars», *New York Times*, skyhen.org.

37. Young, 50-51.

38. *Ibid.*, 14-15.

39. «10 Reasons To Avoid Acidosis.»

40. Young, 51-52.

41. Weil, *Natural Health, Natural Medicine*, 27.
42. Fuhrman, Eat to Live, 98.
43. *Ibid.*, 95.
44. Robbins, *Diet for a New America*, 290.
45. Grace, A Way Out, 8-9.
46. *Ibid.*, 8-10.
47. Steinman, 76.
48. Brownlee, «The Beef about UTIs».
49. Steinman, 73.
50. Cousens, *Conscious Eating*, 433.
51. *Ibid.*, 315.
52. *Ibid.*, 322.
53. *Ibid.*, 313.
54. Wijers-Hasegawa, «Bayer's GE Crop Herbicide, Glufosinate, Causes Brain Damage».
55. Cousens, 438.
56. Steinman, 90.
57. *Ibid.*, 80.
58. «Men's Health Warns of Foods You Should Never Eat», Peta.org.
59. Baillie-Hamilton, *The Body Restoration Plan*, 36.
60. *Ibid.*, 34-35.
61. «FDA Approved Animal Drug Products», FDA «Green Book» section.
62. Mason and Singer, *Animal Factories*, 75.
63. «The Latest In Cancer: "White Meat" Linked to Colon Cancer», pcrm.org; Singh PN, Fraser GE. Dietary risk factors for colon cancer in a low-risk population. Am J Epidem 1998; 148:761-774.
64. *Ibid.*
65. Robbins, 303.
66. Steinman, 73.
67. *Ibid.*, 313-314.

68. «Fish and Shellfish: Contamination Problems Preclude Inclusion in the Dietary Guidelines for Americans», pcrm.org, Spring 2004.
69. Weiss, *Reader's Digest*: Foods that Harm, Foods that Heal, 345.
70. Weil, *Natural Health, Natural Medicine*, 37.
71. Weil, «Does Soy Have a Dark Side?», drandrewweilselfhealing.com.
72. Diamond, *Fit For Life II*, 242.
73. Cousens, 479.
74. «10 Reasons To Avoid Acidosis», PolyMVASurvisors.com.
75. Diamond, *Fit For Life II*, 243.
76. «Milk Sucks», milksucks.com.
77. *Ibid.*
78. *Ibid.*
79. Cohen, «The Essence of Betrayal», notmilk.com.
80. Wangen «Food Allergy Solutions Review», FoodAllergySolutions.com.
81. «Milk Sucks: Find Out more», milksucks.com.
82. «Two New Studies Sour Milk's Image», pcrm.org.
83. Robbins, 150.
84. Steinman, 131-132.
85. «Milk Sucks», milksucks.com.
86. Cousens, 478.
87. Steinman, 122.
88. Holford, *The Optimum Nutrition Bible*, 42.
89. Robbins, 164.
90. Cousens, 316.
91. Weiss, 87.
92. Eisnitz, *Slaughterhouse*, 20, 24, 25, 31.
93. *Ibid*, 66.
94. *Ibid.*, 69-70.
95. *Ibid.*, 126-133.

96. *Ibid.*, 29.
97. *Ibid.*, 20, 28-29.
98. *Ibid.*, 71.
99. *Ibid.*, 166.
100. *Ibid.*
101. *Ibid.*
102. *Ibid.*
103. *Ibid.*, front jacket.
104. *Ibid.*, 124.
105. *Ibid.*, 82.
106. *Ibid.*, 125.
107. *Ibid.*, 87.
108. *Ibid.*, 84.
109. *Ibid.*, 91.
110. *Ibid.*, 93.
111. *Ibid.*, 130.
112. *Ibid.*, 132.
113. *Ibid.*, 132-133.
114. *Ibid.*, 144-145.
115. *Ibid.*, 145.
116. *Ibid.*, 93.
117. *Ibid.*, 133.
118. *Ibid.*, 140-141.
119. *Ibid.*, 172.
120. *Ibid.*
121. *Ibid.*, 173.
122. *Ibid.*, 174.
123. *Ibid.*, 175.
124. Leake, «The rich emotional & intellectual lives of cows».
125. «The Hidden Lives of Chickens», Peta.org.
126. «Pigs: Smart Animals at the Mercy of the Pork Industry», Peta.org.
127. «Fish Feel Pain», Fishinghurts.com.

128. «Free-Range Eggs and Meat: Conning Consumers?» Peta.org.
129. «Investigation Reveals Slaughter Horrors at Agriprocessors», Peta.org.
130. Eisnitz, «Ask the Experts», Peta.org.
131. Eisnitz, *Slaughterhouse*, 125.
132. Brown, e-mail.
133. «Animal Friendly Quotes», Peta.org.
134. «Everything you need to eat right for your health», Peta.org.
135. «Factory Farming: Environmental Consequences», Animalalliance.ca.
136. Cook, «Environmental Hogwash», inthesetimes.com.
137. Cousens, 442.
138. Young, 82-83.
139. Howell, *Enzyme Nutrition*, 4.
140. *Ibid.*, 4-5.
141. Cousens, 299.
142. *Ibid.*, 299.
143. *Ibid.*, 313.
144. *Ibid.*, 417.
145. Holford, 29.
146. Cousens, 312.
147. *Ibid.*
148. Holford, 41.
149. Cousens, 587.
150. «Vegetarian and Vegan Famous Athletes», Veggie.org.
151. Weil, *Natural Health, Natural Medicine*, 30.
152. Young, 68.
153. Whitney and Rolfes, *Understanding Nutrition*, 8th ed., 130-31.
154. Kamen, *New Facts About Fiber*, 43-85.
155. *Ibid.*, 14.
156. *Ibid.*, 10.
157. Holford, 109.

158. «About USDA», U.S. Department of Agriculture.
159. Schlosser, «The Cow Jumped Over the USDA», *New York Times*, commondreams.org.
160. Simon, «The Politics of Meat and Dairy», earthsave.org.
161. Langeland, «Tainted Meat, Tainted Money: Consumer groups decry coziness between government, agribusiness», *Colorado Springs Independent online.*
162. Schlosser, «The Cow Jumped Over the USDA».
163. *Ibid.*
164. *Ibid.*
165. «National Animal Identification System: Goal and Vision», US Department of Agriculture APIS Veterinary Services.
166. *Ibid.*
167. «USDA Cover-Up of Mad Cow Cases», organicconsumers.org
168. «USDA won't stop use of illegal hormones in the veal industry: cancer rates skyrocket in humans», newstarget.com.
169. Nestle, *Food Politics: How the Food Industry Influences Nutrition and Health*, 73.
170. *Ibid.*
171. «Common Dairy Digestive Under-Recognized and Under-Diagnosed in Minorities», Johnson & Johnson.
172. Simon, «Dairy Industry Propaganda: Tale of Two Mega-Campaigns», originally published on vegan.com.
173. «Surgeon General Asks: Got Bones?», gotmilk.com.
174. Simon, «Dairy Industry Propaganda».
175. «Surgeon General Asks: Got Bones?».
176. «About USDA.»
177. Simon, «The Politics of Meat and Dairy».
178. Simon, «Misery on the Menu: The National School Lunch Program», originally published in *The Animal's Agenda*, informedeating.org.
179. Schlosser, *Fast Food Nation*, 219-220.
180. Simon, «Misery on the Menu».

181. «Food and Nutrition Assistance Programs», Economic Research Service, USDA.gov.

182. Simon, «The Politics of Meat and Dairy».

183. Ness, «Organic Food: Outcry Over Rule Changes that Allow More Pesticides, Hormones», *The San Francisco Chronicle*, commondreams.org.

184. «Organic Industry and Consumers Celebrate USDA Reversal on NonFood National Organic Standards», The Weston A. Price Foundation, westonaprice.org.

185. Harris, «Organic Consumers Association (OCA), the Nation's Largest Organic Consumer Group Denounces Degradation of Organic Food Standards by Congress», about.com.

186. «Organic Industry and Consumers Celebrate USDA Reversal on NonFood National Organic Standards.»

187. Krebs, «USDA Accused of Allowing "Sham" Certifiers to Participate in National organic Program», *The Agribusiness Examiner*.

188. «OCA and Environmental Groups Sue USDA to Enforce Strict Standards: Environmental Groups Back Harvey Lawsuit», *Organic Business News*, organicconsumers.org.

189. «Nation's Largest Organic Dairy Brand, Horizon, Accused of Violating Organic Standards», The Cornucopia Institute.

190. Simon, «The Politics of Meat and Dairy».

191. Green, «Not Milk: The USDA, Monsanto, and the US Dairy Industry», *LiP Magazine*.

192. *Ibid.*

193. «The US Food and Drug Administration (FDA) and the glutamate industry», truthinlabeling.org.

194. «Food Additives», new-fitness.com.

195. «Banned as Human Food, StarLink Corn Found in Food Aid», *Environmental News Service*.

196. Greger, «Rocket Fuel in Milk», Dr.Greger.org.
197. *Ibid.*
198. Cook.
199. *Ibid.*
200. Schlosser, *Fast Food Nation*, 210-214.
201. Cook.
202. Barnard, *Breaking the Food Seduction*, 17-19.
203. *Ibid.*, 20-21.
204. *Ibid.*, 50-51.
205. *Ibid.*, 52.
206. *Ibid.*, 53.
207. Diamond, *Fit For Life II*, 245.
208. Barnard, 99-102.
209. *Ibid.*, 111-14.
210. Cousens, 231-232.
211. Van Straten, *Super Detox*, 12.
212. Cousens, 231-234.
213. *Ibid.*, 232.
214. Van Staten, 13.
215. Cousens, 233.
216. *Ibid.*, 234.
217. *Ibid.*, 231.
218. Mindell, *Earl Mindell's New Vitamin Bible*, 39-127.
219. Boschen, «Cycles of the Body», thejuiceguy.com.
220. Farlow, *Food Additives: A Shopper's Guide To What's Safe & What's Not*, 7-75; «Caring Consumer Guide», Peta.org.
221. Weil, Natural Health, Natural Medicine, 17-18.
222. Holford, 24.
223. Farlow, 41-2.
224. «Salts that Heal and Salts that Kill», curezone.com.
225. «National Cattlemen's Beef Association Pays for Sadistic Anti-Vegan "Study"», vegsource.com.
226. Myss, *Anatomy of the Spirit*, 53-55.

Posdata

¡Espera! Tenemos algo que confesarte. En realidad no nos preocupa demasiado estar delgadas. No os asustéis ni os disgustéis; si adoptáis el estilo de vida *Skinny Bitch* bajaréis de peso de cualquier manera. Pero lo que realmente nos preocupa es que estéis sanas. No queremos que nadie se obsesione con bajar de peso. Cuando comes de forma correcta y haces ejercicio te sientes más fuerte, más saludable y con más confianza en ti misma. Comenzarás a quererte a ti misma y a tu propio cuerpo cuando te sientas mejor, no solo cuando pierdas peso. Debes tratar a tu cuerpo como a tu propio templo, ya que eso es lo que es.

Las comparaciones son odiosas, e inútiles. Es obvio que muchas de nosotras no pareceremos estrellas de cine o modelos de pasarela. Y aceptar esto puede mejorar nuestra vida. Olvidémonos de los modelos de belleza impuestos por Hollywood. No entremos en ese estúpido juego. Cuida al máximo el cuerpo con el que has sido bendecida y ámalo, ámalo, ámalo.

RORY FREEDMAN y KIM BARNOUIN